Le blogue de Namasté

Namasté

> Pour toujours

LES ÉDITIONS LA SEMAINE
2050, rue de Bleury, bureau 500
Montréal (Québec) H3A 2J5

Directrice des éditions : Annie Tonneau
Directrice artistique : Lyne Préfontaine
Coordonnatrice aux éditions : Françoise Bouchard

Vice-président des opérations : Réal Paiement
Superviseure de la production : Lisette Brodeur
Assistante-contremaître : Joanie Pellerin
Infographistes : Marylène Gingras
Scanneristes : Patrick Forgues et Éric Lépine

Réviseures-correctrices : Rachel Fontaine, Luce Langlois, Marie Théorêt
Photo de Maxime Roussy : Paul Cimon
Photos de la couverture : Shutterstock
Illustrations intérieures : iStockphoto, Shutterstock

Les propos contenus dans ce livre ne reflètent pas forcément l'opinion de la maison d'édition.

L'Éditeur bénéficie du soutien de la Société de développement des entreprises culturelles du Québec pour son programme d'édition.

REMERCIEMENTS
Gouvernement du Québec – Programme de crédit d'impôt pour l'édition de livres – Gestion SODEC

Nous reconnaissons l'aide financière du gouvernement du Canada par l'entremise du Programme d'aide au développement de l'industrie de l'édition (PADIE) pour nos activités d'édition.

© Charron Éditeur inc.
Dépôt légal : Premier trimestre 2011
Bibliothèque et Archives nationales du Québec
Bibliothèque et Archives Canada
ISBN : 978-2-923771-40-3

Maxime Roussy

Le blogue de
Namasté

> Pour toujours

ÉDITIONS
LASEMAINE

Cauchemar

Namxox

> **Pourquoi ?**

Morte.

Ce mot que Kim a prononcé s'est faufilé dans mes oreilles et a explosé en moi comme une bombe atomique.

- Nath est morte.

C'est comme si mon sang s'était subitement transformé en eau glacée. Ma tête est devenue vide et mon cœur s'est liquéfié.

MORTE !

Je n'ai pas pleuré. Kim s'est jetée dans mes bras et je l'ai serrée très fort.

- Qu'est-ce... Qu'est-ce qui s'est... passé ? j'ai réussi à dire, même si j'avais du mal à respirer.

Mom et Pop sont arrivés, alertés par les pleurs de Kim. Mom lui a fait signe de s'asseoir pour qu'elle reprenne ses esprits.

Kim en savait peu. Elle a appelé chez Nath, c'est sa mère qui a répondu. Elle était en crise. Elle a juste dit que Nath était morte.

Rien de plus.

Je me suis tout de suite dit qu'elle s'était suicidée. Comme si je m'attendais à ce que ça arrive un jour.

Mom a appelé chez Nath, pour avoir plus de détails, mais il n'y avait pas de réponse.

Mom travaille aux urgences, elle a téléphoné à l'hôpital. Elle a parlé à sa patronne et lui a demandé si une fille correspondant au profil de Nath était arrivée en ambulance.

Sa patronne lui a confirmé que Nath était à l'hôpital. En piteux état, mais vivante.

VIVANTE !

En cinq minutes, je suis passée de la plus horrible sensation de ma vie à la plus apaisante. D'un extrême à l'autre.

Mom en a su un peu plus : Nath s'est fait frapper en traversant la rue. C'est grave, mais moins que le cauchemar que j'avais imaginé.

J'étais tellement sûre qu'elle s'était enlevé la vie. Et j'ai eu l'horrible impression que j'en étais un peu responsable. Parce que je n'avais pas fait grand-chose pour l'aider. Parce que, des fois, elle me tapait sur les nerfs avec son attitude négative. Parce qu'elle m'a envoyé plein de messages de détresse auxquels je n'ai pas répondu.

Je me suis sentie comme une meurtrière !

Pourquoi sa mère a-t-elle dit à Kim qu'elle était morte ? C'est tellement faux !

Mom, Kim et moi, on s'est rendues à l'hôpital. Il a fallu s'arrêter en route parce que Kim avait mal au cœur, elle pensait vomir. Elle était en état de choc, vraiment plus que moi. Je lui tenais les mains, elle tremblait tellement. C'était fou.

Dans le stationnement de l'hôpital, Mom a demandé si on voulait vraiment voir Nath.

- Parfois, aux urgences, c'est pénible, elle a dit. Il y a des choses que vous n'aimerez pas voir.

Mom est très discrète sur son métier. Mais des horreurs, elle en voit tous les jours. Je le sais, parce qu'il lui arrive d'en parler à Pop. Des accidents d'auto, mais aussi des accidents de travail, des chutes ou des morsures de chien vraiment profondes.

Elle en voit de toutes les couleurs. C'est stressant, mais loin de la routine. Des fois, il survient des trucs bizarres, comme un enfant avec une casserole coincée sur la tête (est-ce que sa mère a mis une tuque dessus pour qu'il n'ait pas froid ?) ou un ado avec une pile AAA logée dans une narine (non, ce n'est pas Fred, mais ça pourrait telle-ment être lui !).

Mais trop souvent, ce sont des accidents horribles.

Je ne sais pas comment elle fait, Mom. Faut croire qu'elle a ce métier dans le sang. Moi, je serais incapable de supporter toutes ces scènes de souffrance.

Tsé, les films d'horreur, c'est différent. On sait que ce n'est pas vraiment arrivé. Et c'est souvent ridicule. Lorsqu'un personnage meurt, je n'envoie pas une carte de sympathie à sa famille. C'est du cinéma.

Des fois, Mom me demande pourquoi j'aime tant les films d'horreur. Elle ne supporte pas, elle ferme les yeux ! 😊

Je lui dis de respirer par le nez, que c'est du cinéma. Pourtant, elle voit continuellement l'horreur dans la réalité.

Kim a préféré rester dans l'automobile pendant que Mom et moi allions prendre des nouvelles de Nath. C'est sûr que si Mom n'avait pas été là, je n'aurais jamais mis les pieds aux urgences. Je lui serrais la main très fort et, avant d'entrer, j'ai craqué : je me suis mise à pleurer.

Et là, parce que je n'ai pas dormi de la nuit, je dois me coucher. J'ai mal au cœur et je n'arrête pas de me ronger les ongles.

Je vais penser très fort à Nath. Elle en a besoin.

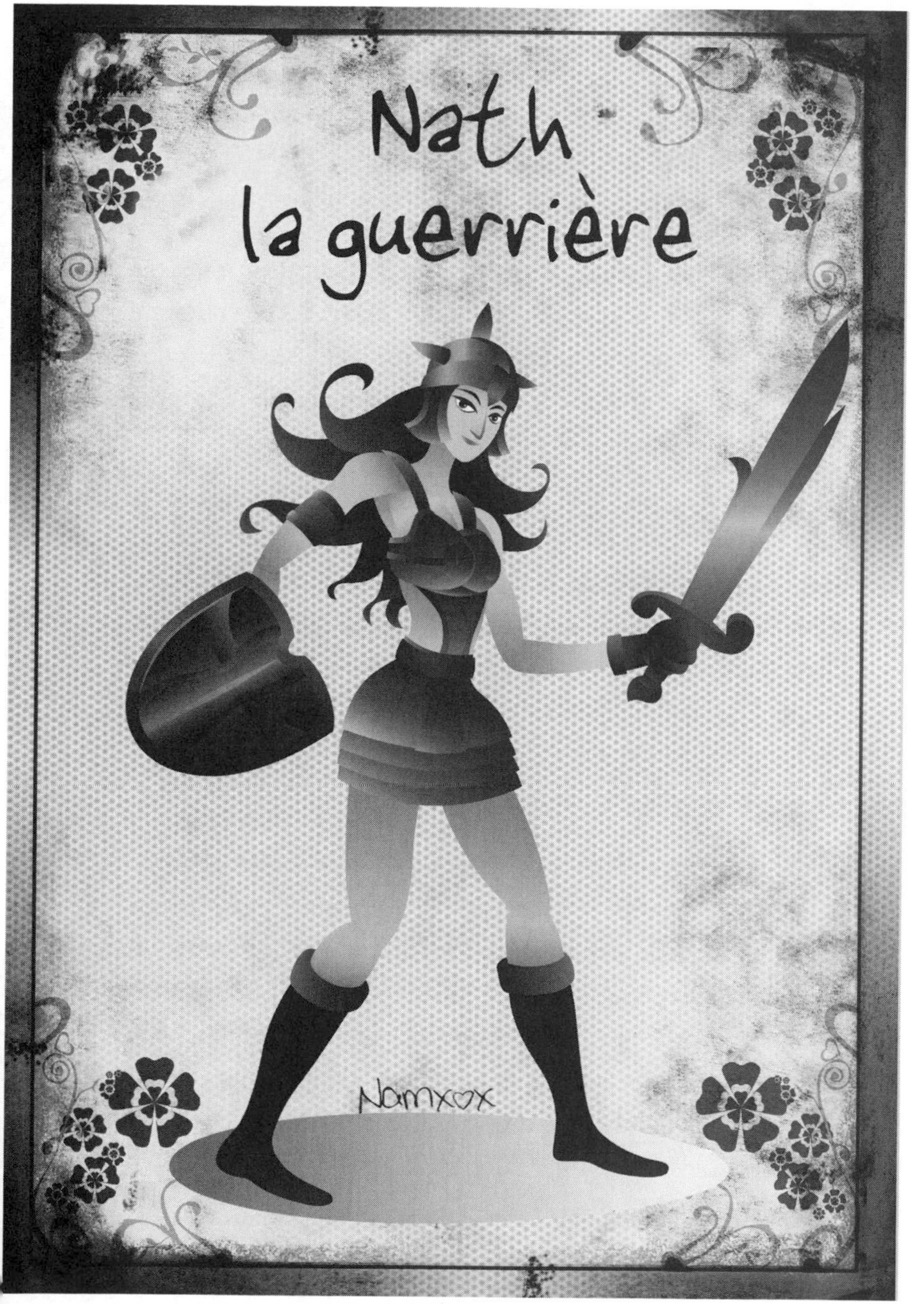
Nath
la guerrière
Namxox

Publié le 2 novembre à 16 h 21 par Nam
Humeur : Inquiète

> Entre la vie et la mort

Je suis restée toute la journée au lit. Dormir m'a fait du bien. Après la nuit que je venais de passer, fallait vraiment que je me repose. Quand j'ai fermé mes yeux, il était 10 heures. Quand je les ai rouverts une seconde plus tard, il était 16 heures.

Je ne me souviens pas d'avoir rêvé. J'aimerais bien que l'accident de Nath ne soit en fait qu'un cauchemar. Genre, en me réveillant, je réaliserais que le ragoût de Mom a mal passé et que c'est lui qui a causé ce mauvais rêve d'accident.

Mais non.

Nath est toujours aux soins intensifs. Et elle se bat pour vivre.

Dès notre arrivée aux urgences, on a croisé la sœur de Nath. Elle nous a raconté ce qui s'était passé. Nath rentrait chez elle en autobus. En sortant, elle a traversé le boulevard sans regarder, ses écouteurs sur les oreilles. Une auto l'a frappée de plein fouet. Sa sœur a dit que des témoins l'ont vue planer cinq mètres dans les airs avant de retomber sur le toit d'une autre auto. Si ça avait été de l'asphalte, elle n'aurait sûrement pas survécu.

Nath s'est retrouvée dans la salle des polytraumatisés, là où une équipe d'experts l'a examinée.

La mère de Nath dormait. Mom m'a expliqué que, des fois, les proches des accidentés sont tellement choqués qu'on doit leur donner des calmants.

Le pire ? Le chauffeur qui l'a frappée est reparti immédiatement après l'accident ! 😡 C'est une extra méga full Réglisse noire !

Je suis allée retrouver Kim, lui disant qu'on n'avait pas encore de nouvelles. Elle a choisi de venir dans l'hôpital avec nous, car elle grelottait dans l'auto.

Chaque fois que des pas se rapprochaient du local où on était assises, on se raidissait sur nos chaises, comme si on venait d'être électrocutées.

Enfin, après deux heures interminables, un urgentologue est venu nous apprendre que les 48 prochaines heures seraient déterminantes. Nath a un bras, les hanches, une jambe et des côtes cassés. Elle a subi un choc à la tête et demeure inconsciente. Elle a eu une hémorragie au cerveau, mais c'est sous contrôle. Elle respire par elle-même, ce qui est bon signe. Elle a eu un poumon perforé, mais ses autres organes sont O.K.

On ne sait pas si elle va pouvoir marcher de nouveau. On ne sait pas si elle va pouvoir reparler. On ne sait pas si elle va pouvoir bouger les bras.

On ne sait rien. 😟

Mom dit qu'il faut la laisser se reposer.

Finalement, on a pu aller lui rendre visite.

Ça a été vraiment dur de la voir dans cet état. Elle était entourée de machines et couverte de tubes. Un gros bandage lui couvrait la tête, mais le pire, c'était son visage. Elle était méconnaissable. Ses yeux étaient cerclés de traits noirs, elle avait l'air d'une boxeuse qui venait de livrer un combat de vingt rondes. Ses lèvres étaient mauves et son nez était cassé. 😟

J'espère vraiment qu'ils vont retrouver la personne qui lui a fait ça !

Mom m'a affirmé qu'elle a vu des gens encore plus amochés que Nath quitter l'hôpital des semaines plus tard sur leurs deux jambes et en pleine forme.

Kim n'a pas voulu entrer dans la pièce.

Je me suis portée volontaire pour rester toute la nuit avec Nath. Au début, Mom ne voulait pas, mais elle a fini par accepter en voyant à quel point ça me tenait à cœur.

J'ai donc passé la nuit avec elle. Je lui ai parlé de tout et de rien. Une des infirmières de garde m'a dit que c'était possible qu'elle m'entende. Je lui ai parlé de tout ce qui me passait par la tête : de Michaël, de Mathieu, de Youki, mon p'tit chien d'amouuur, des histoires impossibles de mon frère et de Fred, et de l'école. Je lui ai lu des extraits du roman que je lis présentement *Carrie*, de Stephen King, excellent !) et j'ai fait des plans pour quand elle va être sur pied (on va grimper l'Everest et le descendre en luge, j'ai dit !).

Je lui ai demandé de me faire un signe si elle m'entendait, mais ça n'a rien donné. 😔

Elle ne peut pas mourir. Elle n'a pas le droit. Elle a 14 ans ! J'ai pensé très fort à Zac et je l'ai prié d'intervenir. Je ne sais pas trop comment il pourrait faire, mais je lui ai dit que s'il ne faisait rien, j'allais être vraiment fâchée. Qu'il se débrouille !

Mom m'a laissé son cellulaire, au cas où. On ne peut pas l'utiliser dans l'hôpital. Je suis sortie pour envoyer un texto à Mathieu. Il m'a répondu tout de suite. Ça m'a fait du bien de savoir que je n'étais pas seule.

Pendant toute la nuit, j'ai fait plusieurs allers-retours entre les soins intensifs et le stationnement de l'hôpital. Dès que j'envoyais un message à Mathieu, il me répondait, même au beau milieu de la nuit.

Je l'aime tellement. J'ai hâte de le revoir.

(…)

Je viens de parler à Kim. Sa mère et elle vont aller à l'hôpital après souper. Je vais les accompagner.

Kim se dit prête à voir Nath.

(…)

J'ai l'impression qu'il est 9 heures du matin alors qu'il est 17 heures ! C'est vraiment bizarre comme sensation. En théorie, je me couche dans quatre ou cinq heures. Je ne sais pas trop comment je vais faire. La vie continue, je dois aller à l'école, j'ai deux examens importants cette semaine.

Au pire, je vais texter Mathieu. Il va m'accompagner dans mon insomnie.

Réveille-toi !

Namxox

Publié le **2** novembre à **21** h **02** par Nam
Humeur : Encore inquiète

> Au beau ou mauvais fixe

Nath est encore aux soins intensifs et rien n'a bougé : elle est dans le coma.

Je trouve que c'est looong ! Mais qu'est-ce qu'elle attend pour ouvrir les yeux ? Je ne veux pas qu'elle se mette à giguer ou à jongler avec les infirmières, juste ouvrir les yeux et dire qu'elle va bien.

On ne sait pas si elle va pouvoir marcher de nouveau. On ne sait pas si elle va être « normale », si elle va nous reconnaître en nous voyant. Elle pourrait devenir « légume » (tellement laide, cette expression !). Ça ne veut pas dire qu'il faudrait l'arroser et lui donner du soleil pour qu'elle revienne à la vie. Ça signifie qu'elle ne pourrait pas s'alimenter seule ou exprimer ses besoins.

Il ne faut PAS ! Il faut qu'elle soit comme avant.

(…)

Kim a eu un choc en voyant Nath. J'ai essayé de la préparer psychologiquement, mais je n'ai vraiment pas réussi. J'ai pensé lui dire que Nath ressemblait à une momie coincée dans une espèce de toile d'araignée géante avec plein de robots qui font bip ! bip ! bip ! en l'observant, mais bon, je crois que je lui aurais fait peur. Donc j'ai dit que ce n'était « pas si pire ».

Kim a pleuré un peu en la voyant, mais elle s'est vite ressaisie. Parce que Nath n'a pas besoin d'ondes négatives autour d'elle. Elle a besoin de positif. Il faut qu'on l'encourage. Comme dirait la mère de Michaël, elle est « capable » !

Go, Nath, go !

(…)

La mère de Nath va mieux. Elle m'a remerciée ce soir d'être restée avec sa fille la nuit dernière. Elle m'a offert… une boîte de chocolats. Arghhh.😕

C'est gentil quand même. Elle remonte dans mon estime. Je la trouvais pas mal poche comme mère, mais là, elle s'occupe bien de sa fille. Il a fallu pour ça que Nath s'approche à quelques millimètres de la mort… Mieux vaut tard que jamais, j'imagine.

Bon, assez de négativisme. Sa mère est présente, c'est l'essentiel.

(…)

La vie continue.

Fred et Tintin sont toujours sur un nuage. Ils sont parvenus à vendre la radiographie de la jambe cassée de Fred à un site Internet.

Ils approchent à une vitesse hallucinante de leur premier million de dollars ! Un homme a contacté l'agent de Fred (coucou, Tintin !) et lui a offert un pourcentage sur la production de t-shirts représentant le « Agonizing Teen » (l'Ado qui agonise, c'est le surnom que la communauté Web a donné à Fred). Le t-shirt coûte 25 $, Fred devrait recevoir 1 $ par article vendu. Le mec lui a promis que si ça fonctionnait bien, il mettrait son visage sur des tasses, des porte-clefs, des chaises pliantes (!), du papier hygiénique (!!) et des baguettes chinoises (!!!).

Misère. ☺

Évidemment, Mom n'est pas au courant.

Il y a quand même plus de quatre millions de personnes (4 000 000 !) qui ont vu sa vidéo.

(…)

Nath fait aussi les manchettes sur le Net et à la télévision. Les médias n'ont pas mentionné son nom, mais on recherche activement le conducteur.

Le pire ? La scène a été filmée par une caméra de surveillance. On a montré les images en indiquant qu'elles étaient « choquantes ». Choquantes ?

Indécentes, oui !

Je n'ai pas pu les regarder. Même Fred et Tintin n'ont émis aucun commentaire.

On voit un autobus arriver et s'arrêter. Puis il repart. On voit Nath attendre, puis traverser la rue. Et le reste.

Le chauffeur a freiné, la voiture est repartie immédiatement. Avec le capot renfoncé et le pare-brise brisé.

J'imagine la réaction de la mère de Nath ou de sa sœur. Ça doit être horrible.

J'espère au moins que ça va permettre aux policiers de retrouver le chauffard. Moi, si je lui mets la main dessus, je vais lui faire entrer des réglisses noires dans le nombril et les faire ressortir par les oreilles. Ce n'est pas possible ? Tout est possible avec ce genre d'imbécile.

(…)

Aujourd'hui devait être la première journée officielle du Club des Réglisses rouges. Pour une raison évidente, ni Kim ni moi ne pouvions y être. Ce sera demain.

J'espère qu'il viendra des gens.

(…)

Mathieu m'a dit qu'on avait demain une répétition d'impro après l'école. Tellement PAS le goût.

(…)

Je dois casser avec Michaël. Tiens, je vais l'appeler maintenant.

Bon… Pas maintenant, au cas où quelqu'un dans la maison aurait besoin du téléphone de manière urgente, pour commander une pizza ou participer à un concours radio pour gagner un t-shirt affreux.

Schnoute ! Je déteste ça. En plus, il me semble qu'il est de plus en plus amoureux de moi. C'est étouffant.

Il vient de m'envoyer une carte virtuelle. C'est un chat avec une boucle sur la tête qui sort d'une boîte et c'est écrit : « Tu es un cadeau de la vie. »☹

On a clavardé tantôt pendant une demi-heure et PAS UNE FOIS il ne m'a demandé comment allait Nath. Mais il m'a parlé de mariage et d'avoir des enfants. Euh, j'ai 14 ans… Pas 34 !

Demain, faut que je lui parle.

(…)

Je veux un cellulaire. C'est trop cool de texter avec Mathieu. Je me sens super proche de lui. Et il y a des choses qu'on se dit plus facilement en texto.

Comme hier, il m'a avoué qu'il rêvait de m'embrasser. Il trouve que j'ai de belles lèvres.

Hum… J'espère qu'il ne rêve pas juste de m'embrasser. J'espère qu'il rêve aussi de frotter la peau sèche de mes coudes avec de la crème hydratante.

Hé, hé…

On a une règle Mathieu et moi : quand on se texte, on n'utilise pas d'abréviations genre « kestudi » (Qu'est-ce que tu dis ?), « wétu toqp moi jé raf » (Où es-tu ? T'es occupé, moi je n'ai rien à faire) ou « art toé ta kkchose ki te sor du pntln cé kom 1 keu OMG cé 1 mèt de pap q ki é pogné » (Arrête-toi, il y a quelque chose qui te sort du pantalon, ça ressemble à une queue. Oh ! My God ! Il s'agit d'un mètre de papier hygiénique !).

Pourquoi je ne veux pas écrire en abréviations ? Parce que je trouve la langue française belle (oui, oui !). Et que j'ai peur d'en perdre la maîtrise si je commence à écrire comme ça.

Aussi, je veux que Mathieu prenne son temps pour m'écrire. Parce que je mérite qu'il s'applique. Je veux surtout comprendre ce qu'il me dit !

Je préfère « Je t'aime » à « J t'm ». C'est plus romantique.

Allez, dodo.

Bon Michaël

Namxox

> C'est fini !

Je viens de prendre une décision : l'impro, pour moi, c'est fini. Je n'ai plus le « feu sacré ».

J'ai appris en plus ce matin que le match qu'on a gagné, celui qui mettait fin aux 492 matchs perdants consécutifs, a été annulé. Pourquoi ? Marguerite dit que c'est une décision « unilatérale » de la ligue d'impro. Unilatérale, ça veut dire « qu'on ne peut pas contester, qu'on n'a rien à dire, qu'on doit la fermer ».

Marguerite, qui portait une perruque à l'envers (le toupet en arrière de la tête), m'a assuré que ça n'avait aucunement rapport avec ma suspension. Me semble !

D'autant plus que j'ai reçu un autre courriel de mon ami le troll qui m'assure que je vais être pourchassée jusqu'à ce que je « disparaisse » parce que c'est ce qu'une menteuse et une voleuse mérite. C'est un peu violent tout ça, non ?

Je vais l'imprimer et le remettre au directeur. Je ne vais rien répondre. (« Il ne faut pas nourrir le troll ! »)

Je ne sais vraiment pas ce que je lui ai fait, mais j'ai hâte qu'elle se calme les hormones.

(…)

Je viens d'annoncer à Mathieu que notre dernière victoire ne comptait tout simplement pas. Il est furax au max. Il est parti voir Marguerite, même s'il sait que la décision est « unilatérale ».

(…)

Kim est dans le local des Réglisses rouges. Je m'en vais la rejoindre dans quelques instants. J'ai bien hâte de voir si on aura eu des « clients » !

Faut dire que, ces derniers temps, Kim et moi, on aurait davantage besoin de parler… et d'être écoutées…

Kim est déprimée, je la comprends. Surtout qu'elle aime encore Nath, c'est évident. Même si elle dit que ce n'est pas le cas.

C'est fou, pendant que j'écris, on ne sait même pas si Nath va survivre. C'est dur à concevoir.

(…)

Parlant de Nath, tout le monde sait qu'elle a été victime de cet accident. Il y a même des gars qui ont téléchargé la vidéo sur leur lecteur numérique et qui la regardent en boucle à la vitesse normale, super lente ou super rapide. Et ils trouvent ça drôle !

Si je m'étais écoutée, j'aurais arraché le lecteur numérique et je l'aurais mis dix minutes au micro-ondes.

À bien y penser, c'est le propriétaire du lecteur qu'il faudrait enfermer dans le micro-ondes !

(…)

Je n'ai PAS encore cassé avec Michaël. Il est comme trop heureux de me voir. Ce matin, à l'école, il ressemblait à un chien qui n'a pas vu son maître depuis longtemps.

S'il avait pu, il aurait branlé la queue frénétiquement et m'aurait léché le visage. Tellement content de me voir qu'il aurait fait pipi sur le plancher. Si j'avais pu lui lancer un frisbee, il l'aurait attrapé avec sa gueule.

Je suis méchaaante.

Là, qu'est-ce qu'il fait ? Il me regarde.

Misère.

Je casse avec lui après l'école.

> **Je perds la tête...**

J'ai passé l'après-midi à faire des bêtises. Je ne sais pas ce qui se passe avec moi, il y a des courts-circuits dans mon cerveau.

À la fin de l'avant-dernière période, j'ai dit à Michaël que je voulais lui parler sérieusement.

- Au sujet du nom que nos enfants vont porter ? il m'a demandé, un sourire aux lèvres.

- Je suis sérieuse, Mathieu.

MATHIEU ! Je l'ai appelé MATHIEU ! ☺ J'ignore vraiment pourquoi, mais son sourire a disparu.

- Comment tu m'as appelé ?

J'ai dû exploiter mes grands talents d'actrice.

- Michaël, pourquoi ?

- Tu ne m'as pas appelé Michaël, il a dit, vexé. Tu m'as appelé Mathieu.

- Hein ? Rapport ?! Pourquoi je t'aurais appelé Mathieu ?

Schnoute… En impro, j'aurais eu une punition pour décrochage, cabotinage et obstruction !

- Tu m'as appelé Mathieu !

La cloche a sonné ! Ouf ! J'ai pris mon sac à dos et même s'il me restait deux minutes pour me rendre au

26

cours suivant et que j'étais à deux pas de la classe, j'ai fait comme s'il ne me restait que dix secondes pour atteindre l'autre bout de la bâtisse.

Je suis entrée dans la classe et j'ai attendu au dernier instant pour me rendre à mon pupitre.

J'ai hooonte !

Le pire est que je n'ose relire quelques-uns des billets précédents de peur de m'être trompée : est-ce que j'ai utilisé le nom de Mathieu au lieu de celui de Michaël, sans m'en rendre compte?

Est-ce que je deviens folle ? Genre de la démence ? Prochaine étape, je vais arriver à l'école avec ma taie d'oreiller sur la tête, un t-shirt heavy metal d'un mort-vivant qui mange la Lune et des feuilles de céleri collées sur mes parties intimes ! Ou je vais circuler dans les corridors de l'école en me tortillant comme une couleuvre enfiévrée et, dès qu'on va me toucher, je vais hurler qu'on me laisse tranquille parce que je suis sur le point de pondre des œufs ou de perdre ma peau !

C'est tellement gênant. Et ça ne va pas atténuer le problème de jalousie de Michaël.

Dès que la cloche a sonné, je me suis précipitée dans le corridor pour l'éviter. Dès que j'ai vu qu'il était là, à la porte (comment il a fait pour être si rapide ?), j'ai pensé sauter par la fenêtre pour m'enfuir. Mais il y a tout de même quatre étages…

Pas eu le choix de l'affronter. Il avait toujours son visage d'ado qui vient de découvrir un premier poil sous son bras (!).

- Qu'est-ce qui se passe avec Mathieu ?

- Rien, j'ai dit, en me dirigeant vers mon casier.

- Il ne se passe pas rien. Tu t'es trompée de nom tantôt.

- Mais nooon. Arrête de capoter pour rien.

- Tu t'es trompée de nom ! il a grogné.

Je me suis arrêtée et je l'ai regardé.

- Supposons que je me sois trompée. Qu'est-ce que ça fait, hein ? Ça arrive à tout le monde de se tromper, non ?

- D'accord. Si tu le dis, Mylène.

Mylène ! Il m'a appelée Mylène ! Le nom de son ex-Réglisse noire ! Tellement chien !

(O.K., je sais que c'est aussi chien que je l'aie appelé Mathieu. Mais c'était involontaire. Je ne voulais pas le blesser !)

Il est parti. Et je ne l'ai pas revu de la journée.

Je veux casser, mais pas en me disputant avec lui. Je veux quand même rester son « amie ». Je ne veux pas être intimidée chaque fois que je vais le croiser dans un corridor de l'école ou dans l'autobus.

Je suis coincée. Si je casse et que, genre, deux semaines plus tard, je sors avec Mathieu, il va se dire que pendant que j'étais avec lui, c'est à son ennemi juré que je pensais. Je vais passer pour une fille infidèle qui va de gars en gars.

Arghhh !

En revenant de l'école, j'en ai parlé à Kim. Elle m'a expliqué que quand on se trompe de mot sans s'en rendre compte, on fait « un truc qui finit en *us* ». Genre « abribus ».

Sinus ? Diplodocus ? Mucus ? Cumulonimbus ? Puce ? Spartacus ? Celsius ? Gugusse ? Vénus ?

NAWAK !

Peut-être qu'elle s'est trompée.

(…)

Je l'ai ! C'est LAPSUS !

« Lapsus : faute de langage qui consiste à substituer, par inadvertance, un mot à un autre. »

C'est ça !

Bonne nouvelle : je ne suis pas folle. ☺

Mauvaise nouvelle : je viens de lire qu'un lapsus, c'est souvent « l'expression d'un désir inconscient ». Comme si mon inconscient me jouait des tours. Genre, je montre à Michaël que je l'aime et tout et tout, mon inconscient n'aime pas ça parce que ce n'est pas vrai, alors il me pousse à dire des choses que je ne veux pas. ☺

De quoi il se mêle, celui-là ? Ce n'est tellement PAS de ses affaires !

Je fais quoi, au juste, pour le rappeler à l'ordre, mon inconscient ?

« Cher Inconscient, je suis capable de régler mes problèmes toute seule. Pas besoin de rendre les choses encore plus difficiles qu'elles ne le sont. »

Et puis, ce n'est pas un désir inconscient… Je désire très consciemment Mathieu ! 😳

Habituellement, à cette heure, Michaël m'a déjà téléphoné. Il est vraiment fâché, cette fois !

(…)

Première journée officielle du local des Réglisses rouges. Deux personnes sont venues, dont l'une se demandait si c'était là « la récup en maths ».

L'autre personne est un garçon de troisième secondaire qui avait besoin de parler. Ça ne va pas trop bien entre ses parents, ils sont en processus de divorce et ils se disputent sa garde. C'est laid, ils n'arrêtent pas de s'insulter par personne interposée parce qu'ils ne peuvent pas se parler comme des adultes responsables.

Je ne comprends pas que deux personnes puissent vivre ensemble dix-sept ans (17 ans !), faire des enfants et après, se détester comme deux poux sur un même cheveu.

Mes parents ne se chicanent jamais. Jamais devant nous, en tout cas. La clé de leur bonheur ? Pop dit toujours oui à Mom et il ne s'obstine jamais avec elle ! 🙂

Si tous les hommes obéissaient à leur femme, plus personne ne divorcerait. C'est vraiment la faute des hommes…

Bon, bon, bon. Assez de sexisme. Je vais manger.

Le rêve de Fred, vraiment ?

Namxox

Publié le 3 novembre à 20 h 02 par Nam
Humeur : Démoralisée

> Ça ne va pas...

Kim et moi, on est allées rendre visite à Nath, ce soir. Les nouvelles sont mauvaises : elle n'arrive pas à respirer. Elle a un tube dans la bouche qui se rend à ses poumons pour les aider à se gonfler et à se dégonfler. Mom dit que c'est pour lui donner une chance de se reposer.

Elle est toujours dans le coma. Sa mère et sa sœur ne vont pas super bien non plus, on dirait qu'elles ont perdu espoir que Nath guérisse. Mom les a rassurées, elle leur a dit que Nath a fait un pas en arrière pour mieux en faire trois en avant.

Elle ne peut juste pas mourir.

(…)

Michaël vient de m'écrire sur Messager, il va m'appeler dans une dizaine de minutes. Il a « quelque chose » d'important à me dire.

Eurk.

(…)

Combat dans le Jell-O extrême prévu bientôt dans la maison. Vont s'affronter Fred et Mom. Raison ? Fred a été invité à participer à une émission de téléréalité et Mom ne veut rien savoir.

- C'est la chance de ma vie ! a dit Fred — il avait plutôt l'air de braire, ouais, comme un âne.

- Quand t'auras 18 ans, tu feras ce que tu voudras. Mais tant et aussi longtemps que t'es sous mon toit, c'est non.

- Mamaaaan ! C'est le premier pas que je fais sur le chemin qui conduit à la célébrité !

Cette dernière phrase, il l'avait écrite sur son avant-bras, pour être sûr de s'en souvenir. L'auteur est bien entendu Tintin, son « agent ».

Voici la liste des « millionnaires du Web » qui ont déjà confirmé leur participation :

❀ Un mec qui a essayé de sauter au-dessus des marches en patins à roues alignées, mais qui les a plutôt déboulées avec tout son corps, sauf ses jambes.

❀ Une fille qui joue du ukulélé avec sa langue.

❀ Une vieille dame qu'on a filmée pendant qu'elle faisait une danse du ventre à un policier sans raison particulière.

❀ Mayonnaiseman, un individu qui s'enduit le visage de mayonnaise pour donner des conseils sur les plantes d'intérieur.

Faut dire que le concept est assez débile. Je suis allée visiter leur site : dans un chalet au milieu de nulle part, l'hiver, dix méga vedettes du Web auront à vivre sans eau courante ni électricité et devront, pour survivre, se surpasser.

Il y aura des épreuves comme :

🌸 Jouer au water-polo dans un lac d'eau glacée.

🌸 Chasser des animaux sauvages et apprendre à les dépecer avec ses dents (ark !), enseignement prodigué par un gros barbu sympathique qui n'a pas pris de douche depuis l'invention du téléphone (re-ark !).

🌸 Donner un coup de pied au derrière d'un bébé ourson (pas fin !) qui dort aux côtés de sa maman et courir le plus rapidement possible.

🌸 Et, pour terminer, passer une nuit dans le chalet avec l'Abominable homme des neiges (!) qu'on aura privé de nourriture pendant trois jours.

Le tout sera filmé et diffusé sur le Net. Il y aura une élimination par semaine (victime avalée par l'Abominable homme des neiges ?). Le gagnant va recevoir un... lit de bronzage. 🙄

C'est *nawak*, ce truc. C'est juste une autre manière de faire rire de soi.

Bon, Michaël est au téléphone.

> ## C'est fini !

OMG ! Je viens d'être plaquée par Michaël !

Je suis étonnée et… contente ! Je n'aurai pas à faire le sale travail.

Il m'a quand même fait la morale, comme s'il possédait la Vérité. J'étais sur le point de me crever les yeux avec l'antenne du téléphone.

Il m'a dit que je lui avais « manqué de respect » et qu'il me trouvait « absente » quand il m'embrassait (je n'étais pas absente, j'essayais d'oublier sa langue qui gigotait comme une anguille !). Il a continué en me sermonnant sur mon « manque de sérieux » au sujet de mon avenir et de mes « problèmes à respecter les rêves d'autrui ».

J'entendais sa mère en arrière-fond lui suggérer quoi dire…

Après m'avoir brossé les oreilles avec ses reproches, il m'a fait sentir comme la pire blonde de l'univers. Un MONSTRE ! Est-ce qu'il croyait vraiment que j'allais me laisser faire ?

L'improvisatrice en moi a pris le dessus. Ça n'aurait servi à rien de lui faire des reproches. J'ai donc opté pour une réaction un peu, euh… comment dire ?… excessive.

Pour qu'il se sente mal, j'ai décidé de pleurer, comme s'il venait de me déchirer le cœur avec des ciseaux à bouts ronds et rouillés.

J'ai donc faussement méga pleuré. Comment on méga pleure faussement ? Il suffit d'en mettre vraiment trop. J'ai imaginé que Youki, mon p'tit chien d'amooour, venait de se faire avaler par une souffleuse à neige (cruel !) et j'ai geint. Et je n'ai pas laissé une chance à Michaël de parler.

En fait, je n'ai même pas compris ce que je lui ai dit. Mais je me rappelle avoir glissé les mots « pardon », « douleur » et « lampe halogène » (celui-là, je ne sais pas pourquoi).

Dès que j'ai eu l'impression que Michaël se sentait vraiment mal, j'ai raccroché. Et j'ai laissé le combiné activé pour qu'il ne puisse pas me rappeler. Question de lui faire passer une mauvaise nuit… Hé, hé, hé…

Il vient de m'envoyer un courriel : « Rappelle-moi, je veux te parler. » S'il pense ! Qu'il patauge dans ses remords, le monstre !

Finalement, ce n'est pas moi qui vais passer pour la méchante. Et du même coup, je vais me sentir moins poche de sortir avec Mathieu.

Je suis célibataire ! Yé ! J'ai bien hâte de l'annoncer demain matin à Celui-qui-fait-battre-mon-cœur.

(…)

Mom vient de me « suggérer » de me mettre au lit. Je ne suis même pas fatiguée ! Je vais aller rêver à Mathieu, tiens…

Merci
Toutankhamon

Namxox

Publié le 4 novembre à 16 h 04 par Nam
Humeur : Accablée

> Je capooote !

On va commencer par les bonnes nouvelles. Parce qu'il faut bien qu'il y en ait des fois.

1. Un homme a été arrêté en lien avec l'accident de Nath...

Ça a fait les manchettes en début d'après-midi et la rumeur s'est vite répandue dans l'école : la personne qui a heurté Nath avec son automobile a été arrêtée. Les policiers ont retrouvé son véhicule dans un garage.

Ça me fait un peu plaisir, mais Nath est toujours dans le coma, entre la vie et la mort.

2. L'impro

Avant le premier cours de ce matin, j'ai croisé Marguerite. Je lui ai annoncé que je ne voulais plus faire partie de l'équipe. Je lui ai dit la vérité : je traîne une blessure qui tarde à guérir. Toute cette histoire de harcèlement par courriel et de dénonciation m'a rendue amère. Et en plus, on a décidé d'annuler notre victoire. Je trouve ça injuste.

Je pensais qu'elle allait essayer de me retenir, mais non. Elle m'a dit qu'elle me comprenait et qu'elle était désolée de perdre sa meilleure joueuse. Elle m'a fait un câlin et elle m'a dit que j'étais « géniale ». Tellement gentille, je l'adore.

La bonne nouvelle, ce n'est pas vraiment ça. C'est que toute l'équipe me soutient. Si la victoire ne nous est pas remise, toute l'équipe des Dé-Gars va démissionner. C'est Mathieu qui a eu cette brillante idée.

Ce cher Mathieu…

3. Ouais, ce cher Mathieu

Ce matin, j'étais vraiment excitée à l'idée de le revoir. Avant de partir pour l'école, je lui ai envoyé un texto : « Je suis toute à toi. » Tellement romantique…

Mathieu a répondu, mais, euh, c'est Mom qui a reçu le message. Et Mathieu est un peu gêné, parce que c'était une réponse « olé olé ». Il ne veut pas me dire ce que c'est… Ça veut dire quoi, olé olé ? Est-ce que c'est un message indécent ? J'espère que non !

Je n'ai pas trop eu le temps de le voir. Je vais expliquer pourquoi plus loin.

Mais il m'a invitée dimanche à aller me baigner à la piscine de l'université où il s'est trouvé un emploi de surveillant.

Quel maillot de bain je vais mettre ? Mon une pièce ou mon bikini ? Ou mon habit de neige avec mes raquettes, pour qu'elles ne me fassent pas de crise de jalousie ! Que de questions !

4. Il me faut un cellulaire !

Absolument. J'ai commencé à harceler Mom à ce sujet ce matin et elle n'est pas fermée à l'idée.

Je lui ai donné la véritable raison qui motive ma soudaine envie, parce que je suis sa fille et que je suis honnête : s'il y a une urgence (si ma langue se coince dans le trou d'un évier ou si je suis aux prises avec la malédiction de Toutankhamon), je dois pouvoir la prévenir. J'ai vu que j'avais atteint son cœur de maman.

Quoi ? Texter frénétiquement Mathieu ? Naaan. Ça ne m'intéresse vraiment pas. 😊

On va aller magasiner demain.

5. Le journal de l'école

J'ai annoncé à Monsieur Patrick que je suis prête à participer au nouveau journal. Il était vraiment content. Il m'a assise sur ses épaules et on a défilé dans les corridors de l'école, et pendant qu'il soufflait dans un gazou, je hurlais : « On ne dit pas gazou, on dit mirliton ! »

Bon. Ce n'est pas tout à fait ce qui s'est produit. Il m'a dit : « Génial ! » Première réunion de travail la semaine prochaine. Entre autres, faut trouver le nom du journal. Il m'a demandé de réfléchir à la chose en fin de semaine.

Je vais le faire s'il me reste du temps après que j'aurai pensé à Mathieu…

6. J'ai eu 87 % dans un test de maths.

Est-ce qu'il y a quelque chose d'intéressant à ajouter ? Ah oui, la prof a corrigé avec un stylo mauve… Wow.

7. Le Club des Réglisses rouges remplit sa mission !

Kim et moi, on est très fières. Ce midi, une dizaine de personnes sont venues faire un tour. Il y en a qui ont passé en revue les brochures d'information (l'infirmière nous en a donné des dizaines), d'autres se sont assis et nous avons parlé. C'était chouette.

Je n'ai aucune formation particulière, Kim non plus, donc on ne peut pas donner de conseils. On se contente de guider les élèves vers les ressources et de s'intéresser à eux. C'est fou comme les gens ont besoin d'être écoutés !

Il y a eu ce gars qui pense couler son année, par exemple. Il nous a demandé si on savait comment faire pour lâcher l'école.

Sauf que tous les midis, c'est un peu intense. Donc Kim et moi, la semaine prochaine, on va organiser une séance de recrutement pour trouver des bénévoles disposés à nous aider.

(…)

On passe aux mauvaises nouvelles.

1. Fred est tombé sur la tête...

Ce n'est pas nouveau que Fred adopte un comportement d'extraterrestre devant une machine distributrice (hein !), mais là, il exagère.

Il n'arrête pas de parler du prix qu'il pourrait gagner dans la téléréalité débile. Il est obsédé. Il a dit à Mom que le lit de bronzage, c'est le « rêve de sa vie ». S'il le gagne, il pourra mourir parce que sa vie aura été « bien remplie ».

Perso, je n'ai aucune idée où on mettrait un lit de bronzage dans la maison. C'est énorme, ce truc. Et Mom a rappelé à Fred que c'était une machine à fabriquer des cancers de la peau.

Pas grave ! Fred continue de fantasmer sur cette machine. Ce matin, il a montré à Mom un dessin de lit de bronzage que Tintin lui a fait sur le ventre. Il veut le transformer en tatouage. J'ai failli vomir mes céréales tellement c'est affreux. 😵

Une chance que Fred nous a dit ce que le dessin représente, parce que ni Mom ni moi n'aurions pu le deviner. J'étais sûre que c'était une pile de hot-dogs dans un conteneur à déchets, tandis que Mom croyait que c'était le visage d'un chien à la peau toute plissée. (J'ai eu beau regarder le dessin de tous les côtés, rien ne ressemble à un chien. Mom dit que le nombril de Fred était comme sa gueule. Pas du tout ! En tout cas…)

Fred prétend que depuis qu'il est tout petit, il RÊVE d'avoir un lit bronzant. Nous assure qu'il y pense à tous les jours. Et que pour s'endormir, il s'imagine dans un de ces grille-pain, ce qui le rend « calme et paisible ».

NAWAK !

Habituellement, je trouve Mom assez molle avec Fred. Mais cette fois, elle ne bouge pas d'un centimètre et reste sur sa position.

(…)

Je vais souper. Me semble que c'est toujours la même histoire. C'est fatigant, manger !

Mais c'est bon… Surtout quand ce n'est pas Pop qui cuisine ! 😊

Supercœur à la rescousse !

> C'est bon ou pas ?

Je suis allée voir Nath à l'hôpital ce soir. Elle va un peu mieux : elle respire de nouveau par elle-même. C'est encourageant. Sa sœur m'a dit que les médecins pensent qu'elle va s'en sortir. Mais… mais on ne sait toujours pas si elle va retrouver toutes ses facultés. Et ça, c'est énervant. Va falloir attendre qu'elle reprenne connaissance. Mom dit que certaines personnes restent DES ANNÉES dans le coma avant de revenir à elles. 🙂

Pas grave. S'il faut que j'aille la voir tous les soirs pendant DES ANNÉES, je vais le faire. Je suis sûre que l'entourer d'amour peut l'aider.

Je reprends mes mauvaises nouvelles. Où j'étais rendue… Oui, le numéro 2. Donc…

2. Jimmy est de retour et toujours aussi têtard gluant qu'avant !

Il est tellement Réglisse noire, ce gars. Chaque jour, il défonce des records de stupidité.

Tout le monde à l'école a vu la vidéo de Nath qui se fait frapper. Je pense même que certains gars l'ont regardée cent fois et que, chaque fois, ils l'ont trouvée drôle. Parce que voir une ado de 14 ans revoler dans les airs après avoir été happée par une personne soûle (voir

45

numéro 3), c'est hilarant. Il a même fallu que les profs interviennent. Un peu de RESPECT ! 😮

Je comprends qu'ils ne rient pas du malheur de Nath. Ils sont juste super captivés par l'accident lui-même. Le côté spectaculaire. Ils mettent la vidéo en ralenti, en super ralenti, en rapide et en extra rapide. Comme si c'était une scène réalisée par une cascadeuse. Ils ne comprennent pas qu'il s'agit d'un ÊTRE HUMAIN et que cet ÊTRE HUMAIN a une famille et des amies.

Là, Monsieur M. vient d'interdire à quiconque de regarder la vidéo à l'école. Bonne chose.

Mais en revenant de dîner, un gars a raconté une blague de très mauvais goût. À un tel point que Kim s'est mise à pleurer. La blague ? Juste l'idée de l'écrire ici me donne mal au cœur. Je vais le faire quand même, comme ça, dans 15 ans, si après un accident de plongée sous-marine je deviens amnésique et que je suis sur le point de marier Jimmy (parce que je suis la plus belle, la plus intelligente et la plus Réglisse rouge du monde entier !), je vais pouvoir relire ce billet. Et me rendre compte que je suis sur le point de commettre la plus grosse erreur de l'Histoire depuis que Christophe Colomb s'est arrêté sur une plage de la République dominicaine pour demander son chemin parce que, selon ses dires, il était « perdu en krimpoff ».

Le gars de la classe, qui se nomme Sébastien et qui possède le quotient intellectuel d'une gomme à effacer, a raconté cette pseudo-blague : « Nath est tellement grosse que l'automobile a subi plus de dommages que la fille. »

C'est tellement CHIEN ! 😳

Les gars de la classe trouvaient ça tellement drôle. Ils ont moins ri quand Kim est sortie de la classe en pleurant, quand le prof a demandé ce qui s'était passé et que Sébastien s'est retrouvé chez le directeur.

Jimmy, là-dedans ? Le meilleur ami de Sébastien dit que c'est Jimmy qui a inventé la blague et qui l'a racontée à plein de monde pendant l'heure du dîner. Kim est allée prévenir Monsieur M. après le cours.

Et on n'a pas revu Sébastien.

Pourquoi y a-t-il des gens qui n'ont pas de cœur ?

3. Le dégoûtant qui a frappé Nath était soûl...

Ouais, c'est ce qu'on a entendu aux nouvelles ce soir. Le gars qui a frappé Nath a 18 ans et il faisait une course avec un ami. Il venait tout juste de sortir d'un bar.

Il a été accusé cet après-midi.

L'alcool... Ça me fait penser à ma tante qui a détruit sa vie et celle de mon cousin en même temps.

Je ne vais JAMAIS en boire.

JAMAIS !

4. Le meilleur (ou le pire ?) pour la fin

En me rendant à l'école ce matin, j'avais le cœur léger et je sifflais un air joyeux. J'ai expliqué à Kim que Michaël venait de me laisser tomber, c'est pourquoi j'étais aussi contente qu'un rat devant un hamburger à peine entamé, mais pas mal pourri.

- Je ne comprends tellement rien à tes amours, m'a dit Kim. Tu voulais sortir avec Michaël, tu es sortie avec. Il te laisse et t'es heureuse parce que, pendant tout ce temps, c'est avec Mathieu que tu voulais être, et tu n'as jamais laissé Michaël pour Mathieu...

Ouain. C'est vrai que je ne suis pas très logique. Mais qui a dit qu'il fallait que je le sois ! 😊

Je n'ai jamais avoué à Kim que j'étais follement amoureuse de Mathieu. Je lui ai dit que je le trouvais sexy, intelligent, drôle, courageux, attentif, mystérieux, non fumeur (hein ?), respectueux, animé d'une formidable joie de vivre, lisse, patient, fidèle, allumé, optimiste, odorant (il sent booon !), intègre, charmeur, responsable, autonome, tendre, sympathique, honnête, aimant les réglisses rouges et, euh, lisse (hein ? pour la deuxième fois !).

Mais je n'ai jamais dit à Kim que je l'aimais. 😊

Donc elle a été VRAIMENT surprise quand je lui ai dit que j'allais sortir avec lui.

- Mais là, est-ce que tu vas encore secrètement aimer quelqu'un d'autre ?

- Non, non. C'est fini, cette folie. J'étais innocente, à l'époque.

- Nam, « à l'époque », c'était hier.

- Je saiiis ! J'ai beaucoup changé en une nuit.

- Ouain, me semble.

Je suis plutôt réservée avec Kim au sujet de mes amours, même si des fois, j'aurais le goût de lui crier dans les oreilles avec un mégaphone que je suis amoureuse et que c'est boooon.

Je ne veux pas la faire suer. Parce qu'elle aime encore Nath et que je vois que ça l'affecte quand je lui parle de mes histoires d'amour.

Surtout depuis que Nath a eu son accident, Kim est éteinte. Elle a pleuré énormément et, là, on dirait qu'elle est fatiguée d'être triste. Elle est abattue. Elle ne sourit plus, elle ne fait plus de mauvaises blagues, elle a toujours l'air d'être dans sa tête. Elle est comme un robot qui agit sans penser.

Je suis sûre que ça va revenir. Faut juste lui laisser le temps. Et si Nath s'en sort (elle VA s'en sortir !), je vais retrouver la Kim d'avant. Et peut-être qu'elles vont sortir de nouveau ensemble ? Et se marier ? Et avoir des enfants ? Et mourir main dans la main à 100 ans sur un lit couvert de pétales de roses ?

Je m'égare. Où j'étais rendue ?

Oui, ce matin à l'école. Donc, je suis émue à l'idée de revoir Mathieu. J'ai l'impression que je vais fondre quand je vais le croiser. Je vais bégayer et de la mousse verte va me sortir du nez (Mathieu va me trouver tellement attirante !).

J'arrive à mon premier cours et, là, je suis frappée de stupeur...

Argh ! C'est au tour de Fred d'avoir l'ordi.

Quelqu'un est mort !?

Namxox

> Il est de retour et il est déchaîné !

Grosse journée aujourd'hui : je vais sûrement avoir un cellulaire ! Mom n'est pas encore supra convaincue, mais je vais trouver d'autres horreurs qui pourraient m'arriver (0,00001 % des chances, mais quand même !) au cours desquelles un cellulaire pourrait m'être indispensable. Elle va craquer. Hé, hé...

Faut aussi que je me prépare mentalement à ma journée de demain. Deuxième étape : décider entre mon bikini et mon une pièce pour la piscine. Première étape : les trouver !

Allez, je termine mon histoire d'hier soir, avant que mon très cher frère complètement dingue du lit de bronzage n'ose me déranger. C'est l'image qu'il a mise en papier peint sur le bureau de l'ordinateur, c'est HORRIBLE ! Je viens de la changer pour l'image d'un monstre qui mange quelque-chose-de-rouge-et-de-dégoulinant-qui-sort-du-ventre-de-quelqu'un – voilà, c'est beaucoup moins indécent !

Donc, je me rends à mon cours hier matin, je suis excitée, je me demande comment je vais réagir quand je vais voir Mathieu. Chaque pas que je fais me rend plus nerveuse, j'ai peur de le rencontrer, mais en même temps je suis fébrile.

Lorsque je pénètre dans la classe, j'aperçois des gens réunis autour de mon pupitre. Je m'approche et...

Sur ma chaise, je vois un arrangement floral en forme d'anneau qui empiète sur les deux rangées. Sur ce genre de couronne, un ruban est épinglé où il est inscrit en lettres attachées : « Tu me manques déjà. » 🙂

Je regarde à gauche et à droite, je me demande ce qui se passe. Mes camarades de classe me regardent, comme si j'avais des réponses à leur donner. Kim arrive derrière moi :

- C'est une couronne funéraire, non ?

- Tu crois ?

- Ouais, c'est un cadeau qu'on offre à la famille d'une personne morte.

Je me suis rappelé les funérailles de Zac et les fleurs qu'il y avait sur le corbillard.

Pourquoi il fallait que ce soit sur MA chaise ? Encore une blague stupide des gars de ma classe, je me suis dit.

J'ai regardé de plus près. Les fleurs dans la couronne étaient desséchées et ne sentaient pas bon. Pas assez pour vraiment puer, mais juste assez pour se demander s'il n'y avait pas un animal mort en train de se décomposer dedans.

J'allais faire un appel à tous pour découvrir qui était le zigoto qui avait mis cette horreur sur ma chaise quand on a tapé sur mon épaule. Je me suis retournée et c'était... MICHAËL ! 😏 Le sourire fendu jusqu'aux oreilles.

- Tu aimes ?

C'était comme si ma tête s'était retrouvée entre deux cymbales géantes qu'on frappait ensemble.

Qu'est-ce. Qu'il. Faisait. Là ?!

- Je ne comprends plus rien, a murmuré Kim.

J'aurais voulu dire quelque chose, mais j'étais trop sonnée.

Il s'est approché pour m'embrasser. M'embrasser ?

Est-ce que j'avais rêvé la séparation ? Est-ce que j'avais pris mes rêves pour des réalités ? À l'aide !

J'ai tourné vitement mon visage, de sorte qu'il a posé sa bouche sur une de mes oreilles. Comme il ne voulait pas avoir l'air fou, il a mis sa langue dans mon oreille et a commencé à y faire un rodéo.

Méchant bad trip.

Je l'ai repoussé un peu. Un peu ? Non, violemment.

- Qu'est-ce que tu fais ?

Il a regardé mes camarades et m'a dit :

- Je t'aime.

J'ai pointé le doigt vers la couronne funéraire.

- C'est toi, cette chose ?

Il a fait oui de la tête, fier de son coup.

J'ai senti la vapeur monter en moi et me sortir par le nez et les oreilles. J'ai laissé tomber mon sac à dos et j'ai tiré sur son chandail (il y a eu un bruit de déchirement, oups !), puis je l'ai traîné à l'extérieur de la classe.

- Tu peux m'expliquer ton $@%*?! de problème ?

(Oui, c'est vrai, j'étais tellement fâchée que j'ai bel et bien émis cette vulgarité sans nom : « signe de dollar-arobase-pourcentage-astérisque-point d'interrogation-point d'exclamation ».)

- Expliquer quoi ?

Encore une fois, son sourire arrogant est apparu. Cette fois, la fumée est sortie par mes yeux. Oui, oui, c'est possible !

- On a cassé hier, tu te rappelles ? Tu m'as dit que je ne te méritais pas.

- Je sais, je sais. Mais j'ai changé d'idée. J'y ai pensé cette nuit et je te donne une autre chance.

- Tu me « donnes » une autre chance ? T'es tellement gentil.

- Je sais.

Argh ! Il ne s'est même pas rendu compte que j'étais sarcastique ! Avec le pouce, j'ai montré la classe.

- Et c'est quoi, cette horreur sur ma chaise ?

- Oh, je voulais te montrer à quel point je t'aime. Comme il était trop tôt ce matin pour le fleuriste, je suis allé faire un tour avec ma mère au cimetière, après le déjeuner.

Il est fou !

- T'as piqué la couronne à un mort ?

- Non, non. Après un certain moment, ils s'en débarrassent. On l'a trouvée dans une benne à ordures.

Il est dingue !

- Attends. Si je comprends bien, ta mère et toi étiez à sept heures du matin dans les poubelles du cimetière pour me trouver des fleurs ?

- Il était six heures, mais tout le reste est exact.

Il est toqué !

- Mathieu, c'est une couronne funéraire.

Schnoute ! Je venais encore de l'appeler Mathieu !

- Ça va, Mylène. Des fois, on se trompe de nom. T'es peut-être en SPM. Maman m'a dit que vous, les filles, deveniez parfois un peu confuses.

Mon syndrome prémenstruel ? Qu'il le laisse tranquille !

- Je ne suis pas en SPM et, oui, je suis confuse parce que tu m'as quittée hier. Et ce matin, c'est comme s'il ne s'était rien passé ! Si tu pouvais agir avec encore moins de logique, j'apprécierais.

La cloche a sonné. Le prof m'a fait signe de rentrer. Je lui ai demandé quelques secondes. Je suis allée chercher la couronne (lourde, et le nez collé dessus, elle puait officiellement) et je l'ai mise autour du cou de Michaël. Il avait l'air fier avec son collier mortuaire et puant.

Et je suis retournée dans la classe, comme si de rien n'était, sous les regards de tous les élèves. Même le prof était troublé. J'ai finalement fait une déclaration fracassante :

- Moi non plus, je ne comprends rien.

Une couronne funéraire… Dois-je être offusquée ? Je ne vaux pas plus ?

Je n'ai pas revu Michaël de la journée. Et depuis, je n'ai pas eu de ses nouvelles.

Il a compris, j'espère.

(…)

J'ai dîné avec Mathieu dans le local des Réglisses rouges. Kim était avec nous, elle était déprimée, donc on n'a pas parlé de nous. Mais je compte bien le faire si j'ai un cellulaire ce soir ! Yé !

Je me prépare à aller magasiner !

Miss Texto

> **Yé !**

J'ai un cellulaire !

Il est super beau, rempli de couleurs, tout en courbes, il fait de la lumière, il a des jeux, une calculatrice, il affiche l'heure, je peux regarder des films et écouter de la musique, je peux prendre des photos et faire des vidéos en haute définition. Je peux même téléphoner (oui, oui !) mais, surtout, je peux texter.

Yé ! Joie et allégresse !

(INFO DE DERNIÈRE MINUTE : Hier, Mathieu m'a dit qu'il m'avait envoyé un message « olé olé ». Mom m'en a parlé. Son message se lit comme suit : « Olé olé. » Il est nono, mon amoureux !)

Ça n'a pas été facile d'atteindre mon but. Oh, non ! Dès que Mom a démarré la voiture, elle m'a dit :

- Ne va pas t'imaginer qu'on va t'acheter un cellulaire. On va juste les voir.

Oups !

- Je sais, je lui ai dit. On va juste les voir.

Dans ma tête, il était sûr que j'allais revenir à la maison avec un membre de la famille tout neuf, un nouveau-né qui vibre, qui sonne, qui se nourrit d'électricité et qui émet des ondes électromagnétiques qui pourraient transformer mon cerveau en pâté de foie.

Il a fallu que je pense vite. Je n'ai eu qu'un seul choix : l'arme de destruction massive. Dès qu'elle s'est retrouvée sur l'autoroute, j'ai attaqué.

- Mooom…

- Oui, ma chérie.

- Supposons que je reviens un soir de pleine lune, après un party. Et que je me fais kidnapper par un malade qui a mauvaise haleine…

- Oui…

- Mettons qu'il m'attache, qu'il me bat et qu'il me force à le regarder alors qu'il est en train de faire du yoga…

- Oui…

- Comment je vais faire pour demander de l'aide ?

- Tu vas crier.

- Non, les murs de son donjon sont insonorisés.

- Alors tu vas te sauver.

- Nan, je ne peux pas, je t'ai dit qu'il m'avait attachée.

- Alors tu ne pourrais pas utiliser ton téléphone cellulaire pour te commander une pizza non plus.

Schnoute ! Elle avait vu clair dans ma manière tellement subtile de la convaincre ! Il ne fallait pas que je me laisse démonter.

- Non, pas de la pizza. Je préfère du poulet.

- Bien. Si tu ne manges pas la peau, c'est plus santé que la pizza.

Est-ce qu'elle était en train de rire de moi ?

- Revenons-en à mon psychopathe qui fait du yoga…

Mom a emprunté la bretelle d'accès qui mène au centre commercial.

- Tu me le présenteras, il a l'air d'un sympathique personnage.

- Non ! Il est vilain ! Il me torture !

- Oui, oui, je vois. Donc tu essaies de me convaincre que, si je t'achète un cellulaire, tu pourras te sortir de ce genre de situation. Par contre, si je ne te l'achète pas, eh bien ! ce sera ma faute si un fou du yoga te torture et je vais donc me sentir coupable.

Que le grand cric me croque ! J'étais repérée !

J'ai joué à l'offusquée.

- Mais nooon ! Voyons ! De quoi tu parles ? Je te présente un scénario où je suis en danger de mort et tu prétends que j'essaie de te manipuler !

- Oui.

- Mom ! Je ne te ferais jamais ça !

Elle a tapoté mon genou.

- Je sais, chérie. Désolée de t'avoir prêté des intentions malveillantes.

J'ai décidé de la regarder aller. Dans le cas où elle allait dire non, ma dernière solution était la pitié.

Je n'ai pas eu à me rendre jusque-là.

Des cellulaires, il y en a tellement ! Et il y a autant de vendeurs ! De loin, ils sont assez sexy. Plusieurs s'entraînent, donc ils sont musclés (hum, musclés, j'adore !).

Mais quand on s'approche et qu'ils ouvrent la bouche, ça se gâte.

Et ils sont vraiment fatigants. Ceux qu'on a rencontrés ont tous 18-20 ans, ils sont bronzés et ont tellement de gel dans les cheveux qu'ils sont incapables de parler au téléphone sans que les ondes restent engluées dedans.

Dès qu'on dit à l'un qu'on ne fait que regarder et qu'il s'éloigne, un autre apparaît ! Un clone ! Pitié !

Quand j'ai vu combien coûtait le téléphone que je voulais et le forfait, j'ai déchanté.

- C'est trop cher, a dit Mom.

- Je vais payer, je lui ai dit, en ne sachant vraiment pas avec quel argent.

- Ah oui ? Le téléphone et la facture mensuelle ?

Attention ! Dans l'énervement, je ne devais pas trop me compromettre !

- Non, pas tout. Tu vas m'aider un peu. Je suis une pauvre étudiante du secondaire sans le sou.

- Ouais, ouais.

J'ai laissé un silence s'installer. Quand j'ai vu un autre clone vendeur approcher, je lui ai lancé de l'eau bénite au visage et j'ai croqué dans une gousse d'ail.

- Je paie le téléphone et tu paies les factures mensuelles, c'est bon ?

- Oui !

Yé !

J'ai enfin choisi le modèle que je voulais, selon une liste que Pop avait faite des marques les plus fiables. Et ça été le temps d'appeler un vendeur. Sept cent vingt-sept sont apparus. J'ai choisi celui qui avait l'air le plus docile, le plus fringant et qui allait pouvoir supporter sans chialer le soleil de midi (hein ?).

Sauf que deux problèmes m'ont empêchée de savourer le moment tant attendu.

1. La fermeture éclair du pantalon du vendeur était au plus bas.

2. Il n'arrêtait pas de se gratter les bijoux de famille.

C'était gênant. Chaque deux secondes, gratte, gratte. Qu'est-ce qui se passait ? Et est-ce que sa braguette était baissée pour, je ne sais pas, leur faire de l'air ? Comme on ouvre les fenêtres l'été pour aérer ?

Et il a fallu que la transaction dure une éternité. Son ordi a gelé et deux des téléphones qu'il voulait me vendre étaient défectueux.

Je ne sais pas ce qui se passait dans son pantalon (et je ne veux pas le savoir !), mais il y avait de l'action. Genre une course de lévriers afghans. Et j'étais genre la seule à m'en rendre compte. Mom parlait avec le vendeur comme si de rien n'était.

À un moment donné, j'ai failli le prendre par les épaules et le secouer en lui criant : « Va dans l'arrière-boutique, gratte-toi avec un râteau et reviens, d'accord ? »

Finalement, on est parvenues à sortir de ce royaume des ténèbres et des démangeaisons gênantes.

- T'as vu ? j'ai demandé à Mom, scandalisée.

- Vu quoi ?

Mom n'avait rien vu. RIEN. 😲

Devinez quoi, lectrices qui n'existent pas ! Fred réclame l'ordi.

Aux grands maux les grands remèdes

Namxox

Publié le 5 novembre à 19 h 02 par Nam
Humeur : Poilue

> Serai-je prête ?

Depuis la fin de l'après-midi, j'ai échangé plus de 30 textos avec Mathieu. Le vendeur disait que les ados en échangent en moyenne 3000 par mois. Si ça continue, je vais être inscrite dans le livre des records ! Je vais avoir le bout des doigts tellement musclé, ils vont gagner des concours de culturisme et, en leur mettant un bandeau et en leur fournissant une épée, ils pourront jouer dans des films de guerriers. Je vais devenir riche !

Dernier texto de sa part : « Es-tu prête pour demain ? »

Argh ! Demain ! La piscine !

Non ! Je ne suis pas prête !

J'ai eu un petit moment de panique plus tôt parce que je n'arrivais pas à trouver mes maillots de bain. Je ne me voyais pas arriver à la piscine en short et en t-shirt, lui crier de regarder ailleurs et faire une bombe pour cacher mon incompétence à retrouver mes vêtements. Ou me baigner nue. Ah ! Ah ! J'imagine sa réaction !

J'ai décidé de porter le une pièce. Le bikini est « inapproprié ». Et j'aurais tellement peur que Mathieu se sauve en voyant mon nombril !

(Est-ce que ça se peut, une phobie des nombrils ? […] Oui ! C'est une ombilicophobie !)

Donc, j'ai essayé mon maillot de bain, tout est beau, sauf... Sauf entre mes genoux et, justement, mon nombril. Il y a comme trop de poils. Et il n'y en a pas juste sur mon pubis. J'ai remarqué que ça s'étend sur l'intérieur de mes cuisses.

Quoi ! Pourquoi j'ai des poils là ? Ce n'est pas normal ! Mon père était le yéti, je le savais !

Sans blague, ça va s'arrêter où, cette folie ? Je vais en avoir jusqu'aux chevilles ?

Une fois de temps en temps, je coupe les poils. Parce qu'il me semble que je pourrais faire des tresses avec si je les laissais faire. Faut bien que ça arrête de pousser un jour, non ?

Tant de questions !

Je viens donc de comprendre ce que l'expression « coupe bikini » signifie. C'est retirer les poils qui sont en trop et qui risquent de ternir mon image à tout jamais. Si je porte mon maillot de bain sans faire une opération déboisement dans cette région, c'est clair que je vais me retrouver au zoo dans une cage. Et que les visiteurs vont me lancer des arachides. Et moi, je vais leur hurler de me jeter un rasoir à la place !

Je suis allée à la quincaillerie avec Pop après souper et je me suis acheté une tondeuse, un taille-bordure et un ciseau pour les haies. Sauf que le commis m'a dit que, au point où j'en suis, il me faudra probablement une moissonneuse-batteuse. Il a ajouté que, au pire, je vais devoir tout raser en jetant de l'essence et en mettant le feu. J'espère que des groupes environnementaux ne vont pas faire de manifestations devant ma maison parce que j'ai détruit l'habitat de petits animaux ! 😏

Je ne voulais pas en parler à Mom parce que je trouve ça un peu trop personnel. J'ai plutôt décidé de me confier à une personne de confiance, quelqu'un qui saurait me comprendre et faire preuve d'empathie pour mon problème de femme en devenir : la spécialiste des cosmétiques à la pharmacie.

Je suis allée la voir à son comptoir. Une dame à la peau bronzée, trop maquillée, avec un rouge à lèvres orange. Je ne saurais dire son âge... 183 ans, est-ce que ça se peut ? Elle est tellement plissée qu'on pourrait trouver des traces d'ADN de dinosaure en examinant une de ses rides. 😣

Ahhh ! Méchante !

Mais non, elle n'est pas si pire. Sauf qu'elle a vraiment trop pris de soleil dans sa vie. Sa peau est comme du cuir. Au moins, elle va pouvoir se faire une sacoche avec son front...

Ahhh ! Méchante !

Donc je me suis présentée après m'être assurée que Pop n'était pas là. J'avais une phrase toute prête :

- Bonjour, euh, j'ai des problèmes de, euh, pilosité.

Pilosité, c'est le mot professionnel pour pouèle.

La dame avait des dents super blanches. Le contraste entre le brun de sa peau et la clarté de sa dentition était trop grand pour moi ; de la mousse bleue est sortie de mon nez.

- C'est ta moustache, ma fille ?

Ma moustache ? Eurk !

- Non, c'est, euh, plus bas.

- Le menton ?

- Non, encore plus bas.

- Les mamelons ?

Quoi ? Les mamelons ?

- Non, euh, l'entrejambe.

- O.K., t'es poilue comme un gorille, c'est ça ? T'as le teint foncé, c'est normal.

Est-ce qu'elle m'a traitée☺ de gorille ? Je vais relire ce que j'ai écrit.

Oui, elle m'a traitée de gorille. 😮

Un ouistiti, ça aurait passé, pas un gorille !

Même si elle me faisait une blague, je me suis retenue à deux mains pour ne pas l'appeler crème-glacée-à-la-vanille-trempée-dans-la-sauce-au-chocolat-qui-a-durci.

Elle m'a traînée dans l'allée des produits pour épiler et… elle est partie.

Là, je me suis retrouvée devant trente-neuf produits différents. Des rasoirs, évidemment, des crèmes dépilatoires (qui sentaient la couronne funéraire), des fusils à protons désintégrateurs, de la cire et un sécateur.

Alors que je m'apprêtais à mettre la main sur une faux à la lame rouillée, j'ai entendu une voix derrière moi.

- Ta mère utilise de la cire. La repousse est moins rapide et la cire arrache le poil avec son bulbe.

C'était Pop. ☺

- Et si tu le fais régulièrement, la repousse sera plus lente. Les résultats vont durer de plus en plus longtemps.

- Hum... Oh. Oui. Euh... Merci, Pop.

Pendant quelques instants, j'ai eu peur qu'il m'annonce que lui aussi, il s'épilait. Ce n'est pas arrivé; il est allé se rincer l'œil devant le présentoir des brosses à dents. (C'est vrai, il peut passer une demi-heure à lire les emballages et à s'extasier devant les nouvelles technologies. Finalement, il prend toujours la moins chère et la plus laide.)

Bref, je ne m'attendais jamais à être conseillée contre les poils indésirables par mon père. C'est lui qui paie, c'est sûr qu'il se serait rendu compte que j'ai décidé de faire la guerre aux invasions barbares.

J'ai fait comme il m'a dit, j'ai pris la cire. La moins « compliquée », parce qu'il y en a plusieurs sortes. Celle que j'ai choisie, on doit la réchauffer. On l'étend sur les poils, on applique une bandelette de coton dessus, on tire et, tadam, le tour est joué !

C'est ce que je compte faire ce soir. Samedi soir super excitant en perspective.

(...)

Michaël m'a envoyé deux courriels que j'ai mis dans la corbeille sans les lire.

Il va comprendre que lui et moi, c'est fini. Et s'il continue à insister, je vais lui dire qu'on ne sera même plus amis.

(…)

Je viens d'envoyer un texto à Mathieu. Pourquoi il ne me réécrit pas ?

Ah ! Ah ! Je suis tellement patiente.

Je vais aller me dépoiler.

Tellement agréable

> OUCH !

L'épilation à la cire, ça fait TELLEMENT MAL ! C'est incroyable. Une torture. Et que je me suis moi-même infligée ! Maso, la fille !

Je n'arrive pas à croire que des femmes subissent ce châtiment corporel. Perso, je serais prête à avouer n'importe quoi si on m'épilait à la cire de force. Le 11 septembre 2001 ? C'est moi ! Le réchauffement climatique ? C'est moi ! Les trous sur la Lune ? C'est moi !

Sincèrement, je ne pensais jamais que ça allait faire aussi mal. Mom dit qu'on s'habitue. Me semble ! Comment on peut s'habituer à une douleur qui ressemble à celle que je ressentirais si je me faisais arracher les ongles par un alligator qui en profiterait pour bouffer aussi ma main au complet ?

Je suis peut-être trop sensible.

J'ai suivi les instructions à la lettre, pourtant. Pendant que j'étais allée préparer le donjon (la salle de bains), j'ai mis le pot de cire dans le four à micro-ondes une minute. J'avais arraché l'étiquette pour lire le mode d'emploi. Je savais que la cire allait être super chaude. Pour ne pas me brûler (ça aurait été moins pire !), je l'ai laissé reposer dans le four quelques minutes.

Quand je suis retournée à la cuisine, Tintin était en train de manger. Il y avait le sac de pain ouvert et le grille-pain devant lui. Avec horreur, j'ai réalisé qu'il était en train d'étendre ma cire à épiler sur une tranche de pain !

- Qu'est-ce que tu fais là, malheureux ?

Je n'ai pas dit « malheureux ». J'ai été moins polie. Je l'ai traité d'« écervelé ». Oui, je peux être très vulgaire parfois.

- Quoi ? C'est à toi, le caramel ?

- Ce n'est pas du caramel ! C'est de la cire à épiler !

Il a fait une pause en observant le pot. Puis il est sorti de son inertie quand sa rôtie a bondi du grille-pain.

- Je trouvais aussi que ce n'était pas super sucré. Je me suis dit que c'était du caramel santé, mais il n'y avait pas d'étiquette.

Il a plongé son couteau dans le pot de cire.

- Je m'en fais une autre et je te le redonne, d'accord ?

J'ai retenu sa main.

- Non !

Je suis repartie avec le pot.

Ce qui fait qu'il a fallu que je m'épile avec une cire pleine de miettes de toasts !

Mon but était de m'épiler les quelques poils qui me tiraient la langue quand je portais mon maillot de bain, tout ranger et sortir en boîte par la suite pour danser le disco.

J'ai donc commencé avec l'intérieur de ma cuisse droite, proche de l'aine. J'ai étendu la cire sur la superficie d'un terrain de football, j'ai appliqué la bandelette et j'ai tiré en sifflant un air de gospel.

😮 😮 😮 Oh. My. God. 😮 😮 😮

J'étais sûre d'avoir arraché les poils. Mais j'étais aussi certaine que la peau était venue avec.

Je n'ai pas crié. Je n'ai pas bougé. J'avais les yeux gros comme des meules de fromage. Puis une larme s'est échappée.

J'ai regardé la bandelette. Une autre larme s'est échappée : il n'y avait pas un seul poil. J'avais raté mon coup !

Une heure plus tard, je suis sortie de la salle de bains, triomphante. Ouais, il m'a fallu 60 minutes pour arracher au maximum dix poils qui ne demandaient pas mieux que de pousser en liberté sur la plaine de ma peau.

Aucune idée comment Tintin a pu se mettre ça dans la bouche (j'y ai goûté un peu, c'est infect).

J'avais de la cire partout. Ça colle d'aplomb, ce truc. J'en avais sur les jambes, sur les mains, sur les bras et dans les cheveux. Il a même fallu que je me coupe une mèche.

Sans parler de mes cuisses qui se sont soudées ensemble quand je me suis mise à marcher.

En arrivant dans ma chambre, j'avais le tapis de la salle de bains, une lampe et Youki collés sur moi.

Pas sûre que je vais répéter l'expérience. La cire n'est pas perdue, je vais la refiler à Tintin pour qu'il l'étale sur ses rôties du matin. 😊

(...)

Je viens de clavarder avec Kim. Elle est allée voir Nath ce soir. Rien à signaler, son état est stable.

Kim était déprimée. J'ai essayé de lui remonter le moral.

Elle n'arrivait pas à comprendre le sens de la vie. Genre, pourquoi il y a des gens qui sont si malchanceux ? Pourquoi des enfants de deux ans ont des cancers ? Pourquoi certaines personnes méchantes vivent jusqu'à 90 ans ? Alors que d'autres, qui passent leur existence à aider leur prochain, meurent à 50 ans ?

Est-ce qu'il y a une justice ? Des fois, je regarde des gens comme Jimmy et je me dis qu'il n'y en a pas. Il est riche, il a une tonne d'amis, mais c'est un être exécrable.

Il y a cette personne qui me harcèle par courriel. J'en ai encore reçu un aujourd'hui. Elle s'acharne ! C'est quoi, son problème ? Pourquoi elle ne reçoit pas un éclair sur la tête ? Pourquoi elle n'est pas attaquée par des écureuils fous ?

Je pense au mot que Mom utilise régulièrement, le mot « karma ». Quand je fais quelque chose d'un peu mal (genre tenter de noyer mon frère dans la cuvette de la toilette), elle me dit que ce n'est pas bon pour mon karma.

Si j'ai bien compris, le karma est un espèce de compte de banque. Quand on fait une bonne action, on ajoute du bonheur dedans. Quand on est méchant, c'est un retrait. Si ça existe vraiment, je connais certaines personnes qui sont en faillite...

Je ne pense pas que ça existe, ce genre de truc. Je pense juste qu'à force de faire le bien, à un moment donné, ça nous revient. Mais il ne faut pas agir en fonction de ça. Il faut agir pour une bonne raison : aider les gens qui en ont besoin.

Et des fois, comme Nath, on se retrouve au mauvais endroit au mauvais moment. Ou Zac. Il avait fait quoi pour mourir à 13 ans ? C'était le gars le plus gentil de la planète !

C'est comme ça. On doit accepter que ça n'ait pas de sens.

Grand-Papi m'a déjà dit que si, dans la vie, on était honnête et gentil, on allait bien s'en sortir. C'est ce qu'on fait avec les Réglisses rouges !

Mais Kim avait quand même un bon point : s'il n'y avait pas de justice ? S'il n'y avait pas d'explication à ce qui nous arrive ? Nath s'est fait frapper par une auto, elle est dans le coma, on sait qu'elle va s'en sortir, mais on ignore si elle va pouvoir marcher et parler de nouveau. Elle pourrait passer le reste de sa vie dans un fauteuil roulant, complètement inconsciente, mais avec les yeux ouverts.

Eurk… Ça me donne des frissons. Il ne faut pas !

Je pense qu'il faut juste continuer à faire le bien autour de soi. J'imagine qu'avec le temps, ça donnera des résultats.

Parlant de faire le bien, je vais prêter l'ordi à mon frère qui a un « projet spécial » demain.

Misère… Pas un autre !

> Je dois trouver un plan B !

Kim avait raison : il n'y a PAS de justice dans cette existence !

Donc, je me suis épilée pour retirer quelques poils fuyants sur l'intérieur de mes cuisses, question de ne pas être embarrassée.

Ce matin, je me réveille, j'ai un peu mal là où la cire a tout arraché. Je jette un œil, m'attendant à voir la plus belle peau du monde, lisse et parfaite. Mais c'est l'Apocalypse !

Partout où j'ai posé de la cire, c'est ROUGE. Pas un peu rouge, TRÈS rouge. Genre ROUGE ROUGE. J'ai essayé mon maillot de bain et c'est super apparent. Même si je me déguise en cyclope, il est clair que tout le monde va regarder là. C'est comme si j'avais, dans la région de l'entrejambe, un gyrophare de police, avec la sirène en prime. Tassez-vous, Namasté s'en vient !

Et si c'était permanent ?

(…)

O.K., je viens de parler à Mom. Elle me dit que ça disparaîtra dans quelques jours.

Quelques jours ? J'ai rendez-vous avec Mathieu cet après-midi !

La cire était peut-être un peu trop chaude. Et il paraît que je m'y suis mal prise. La prochaine fois, elle va me montrer comment.

Eh bien, il n'y aura pas de prochaine fois. Tant pis si on pense que j'ai un cochon d'Inde dans le maillot. ☺

Mom m'a dit de ne pas paniquer, qu'elle avait une solution. Elle va me prêter une espèce de jupette que je vais pouvoir attacher autour de mes hanches. Yé ! Mon honneur est sauf !

Ça m'énerve pour cet après-midi. Mathieu insistait vraiment pour que je sois là. Peut-être qu'il me prépare une surprise ? Il travaille, je ne vois pas comment il pourrait…

J'espère bien me noyer, comme ça, il va me faire le bouche-à-bouche… Hé, hé…

(…)

Je ne vais jamais en revenir : cinq millions (5 000 000 !) de personnes ont regardé la vidéo de Fred en train de se casser une jambe. Mon frère et Tintin ont célébré le tout en avalant chacun un œuf cru. Tintin a lu quelque part que c'était une tradition d'un pays lointain. Je le crois sur parole, je n'ai pas le goût de chercher.

Tintin l'a avalé sans problème, mais ç'a été plus pénible pour Fred, qui l'a recraché par le nez.

Leur objectif de devenir millionnaires s'éloigne de plus en plus. À part le truc super débile des objets dérivés et l'espèce de Web-réalité méga débile, c'est pas mal mort. C'est probablement pour ça que Fred et Tintin tiennent tant au lit bronzant.

Tintin m'a fait une confidence : ils vont tenter une dernière fois de persuader Mom de dire oui pour la Web-réalité. Mais il ne veut pas me révéler ce qu'ils vont faire parce que, le sachant, il se peut que j'appelle la police.

Je ne sais pas trop s'il blaguait… ☺

(…)

Michaël était ici il y a quelques instants ! Quand, par la fenêtre, j'ai aperçu l'automobile de sa mère, j'ai paniqué. J'ai demandé à Pop de lui dire que je n'étais pas là.

Pop a encore en mémoire la violence à la craie que Michaël a fait subir à sa porte de garage. Il a été plutôt brusque avec lui : il a grogné au lieu de parler. D'autant plus qu'il n'aime pas trop l'idée que j'aie un chum. Il préférerait que je me « concentre sur (mes) études ». Comme si avoir un amoureux m'empêchait d'avoir de bonnes notes.

J'ai de bonnes notes. Est-ce qu'elles seraient meilleures si je n'étais pas amoureuse ? Hum… Peut-être. Mais la vie serait tellement plus plate !

Argh ! Michaël est fou. Et il me fait peur.

Je vais lui écrire un courriel pour mettre les choses au clair. Ça ne peut pas durer comme ça. Je le connais, il est prêt à tout pour parvenir à son but. Ça ne me surprendrait même pas s'il créait une chorale avec des zombis qu'il électrocuterait pour les forcer à me vociférer une chanson d'amour (O.K., ça me surprendrait un peu, quand même.)

Il est comme Youki-mon-p'tit-chien-d'amooour avec son os en caoutchouc : pour rien au monde il ne le lâcherait.

La dernière fois, il m'a eue à l'usure. Pas cette fois.

Il faut qu'il apprenne à me respecter.

(…)

Voici le courriel que je viens de lui écrire. Je ne peux pas être plus claire :

Michaël,

Mon père m'a dit que tu étais venu à la maison ce matin. Je ne veux plus que tu viennes quand je ne t'invite pas. Je suis sérieuse. Pendant un certain temps, j'ai trouvé ton acharnement sympathique. Plus maintenant.

Toi et moi, c'est fini.

FINI.

F-I-N-I.

F.I.N.I.

Et ce n'est pas parce que je suis en SPM ou un truc du genre.

Tu m'as quittée, je suis passée à autre chose.

Respecte-moi si tu veux qu'on reste des amis.

Namasté

Je ne peux pas être plus claire, non ?

> Mathieu, mon amour

C'est officiel : je sors avec Mathieu ! Mon Matou d'amour !

Cette fois, j'ai pris les devants. Parce que je me suis dit qu'il devait sûrement attendre que je sois prête, j'ai foncé.

Faut dire que ça n'a pas super bien commencé. J'étais vraiment nerveuse. Dans ma tête, il n'y aurait que moi dans la piscine. Mathieu allait m'observer avec des jumelles pendant que je nagerais en p'tit chien.

Ou il y aurait un super gros malaise parce qu'il me sortirait de la piscine, croyant que je me noie, alors que je n'y aurais que (mal) nagé.

Ou bien il regarderait les autres filles, celles qui seraient en bikini et qui auraient de plus gros seins que les miens (pas dur à battre). Ou qui iraient se promener autour de sa chaise de secouriste en se dandinant les fesses et en faisant des pets avec leurs dessous de bras.

J'étais anxieuse à l'idée de devoir me déshabiller devant tout le monde. Il y a des trucs que je ne veux pas vraiment partager avec des inconnus. Bien sûr, à cause des brûlures au septième degré à l'intérieur de mes cuisses, mais aussi à cause du reste : mes fesses, mon pubis, mes vergetures, mes seins… Je suis gênée d'être en maillot en public, s'il faut en plus que je me dénude !

Je m'énervais tellement pour rien. Dès mon entrée dans le vestiaire, j'ai eu droit à une parade de veilles dames nues qui ne se stressaient plus avec leur corps depuis longtemps. Quand je dis vieilles, ce n'est pas comme ma mère, genre 45 ans. (Ah ! Ah ! Elle déteste quand je lui rappelle son âge.) Je parle du double : la moyenne était d'au moins 93 ans. Quand je suis apparue, la moyenne est descendue à 92,8 ans. 😊

Certaines m'ont longuement dévisagée. Comme si je n'avais pas ma place. J'avais le goût de leur dire : « Moi aussi, j'ai 128 ans, c'est juste que, depuis ma naissance, je mange cinq portions de fruits et de légumes par jour et que je me badigeonne le corps de Vaseline ! »

Honnêtement, je n'arrive pas à croire qu'un jour, je serai comme ces femmes. Je capote quand mes cheveux ne sont pas parfaits, comment vais-je supporter de m'enfarger dans mes seins quand je n'aurai pas de soutien-gorge ? Sans blague, j'en ai vu une qui pourrait les utiliser comme lasso dans un rodéo pour attraper les pauvres petits veaux. 😖

Je ne veux pas être méchante. C'est juste qu'on voit toujours des images de filles « parfaites » (ultra « photoshopées », je sais). Il y en a partout. Il paraît que dans le milieu de la mode, une mannequin est vieille à 20 ans. 20 ans !

Sans parler de toutes ces actrices qui deviennent hystériques dès qu'elles ont une ride. Et qui utilisent le botox jusqu'à ce qu'elles ressemblent à des poupées de cire.

Schnoute… J'ai 14 ans et j'ai déjà peur de vieillir !

Revenons donc à mon après-midi. Je sentais que quelque chose clochait. Pourquoi n'y avait-il que moi de moins de 85 ans ?

Je me suis dit que c'était un hasard. Que les autres devaient déjà barboter dans la piscine.

Puis, la catastrophe : j'avais oublié la jupette de Mom pour cacher le drame de mon épilation ! J'allais devoir user de stratégie. J'ai pensé arracher un rideau des douches, mais je me suis dit que ça allait complètement compromettre mon style. J'ai noué ma serviette autour de ma taille et j'ai foncé. Une fois au bord de la piscine, je trouverais le moyen d'aller dans l'eau sans me faire remarquer.

Dès que je suis sortie du vestiaire, mon œil de lynx a constaté que la piscine était remplie de… personnes âgées. Que ça ! Il y en avait au moins une trentaine. Et qui est devenue le centre d'attraction ? Bien deviné.

J'ai vu Mathieu s'approcher. En maillot de bain, bien entendu. Il est tellement chaud, ce gars ! J'ai eu des frissons en le voyant. Pour exprimer mon trouble devant la beauté de son corps, j'ai senti le besoin irrépressible de lâcher une suite d'onomatopées : Hummm ! Tchou, tchou ! Glou, glou ! Froutch ! Badaboum ! Aïe ! Whouaf ! Vroum, vroum ! Drelin, drelin ! et autres miam-miam !

Mais je me suis retenue. 😄

La première chose qu'il m'a dite en me regardant dans les yeux :

- T'es super belle.

J'ai baissé les yeux.

Ahhh ! Trop adorable.

Puis il s'est excusé. Il avait oublié que c'était l'heure de l'aquaforme pour les 65 ans et plus.

- Mais reste, ça va être drôle. Tu as oublié ton casque de bain ?

- Mon casque de bain ? Quel casque de bain ? ☺

J'ai regardé dans la piscine : tous en portaient un.

- Je t'ai envoyé un texto, il y a peut-être une heure. Je te laisserais bien y aller sans, mais ma patronne est là, je n'ai pas le choix.

Il n'était pas question que je porte un bonnet de bain ! Je ne voulais pas avoir l'air d'un œuf épilé qui nage !

- Je n'en ai pas. Pas grave, je vais rester ici et te regarder.

Une voix a dit derrière moi :

- Mais non, mais non. J'ai la solution.

C'était une vieille dame, Madame Tranquille, m'a dit Mathieu. Elle est retournée au vestiaire pour aller chercher sa solution. Pendant quelques instants, j'ai eu peur qu'elle revienne avec un sac à pain dont je devrais me coiffer pour ne pas la vexer.

Mais c'était pire. Elle m'a remis le bonnet de bain le plus ignoble jamais créé. Un truc rose avec des grosses fleurs mauves dessus. Et un papillon sur le front.

Madame Tranquille me l'a elle-même posé sur la tête.

- Je ne le mets plus parce qu'il me donne des champignons.

Des champignons ?! Ewww ! Où ? Dans le fond de la tête ? Dans les oreilles ?

J'ai préféré croire que j'avais mal compris. Madame Tranquille semblait très heureuse de pouvoir me venir en aide.

Mathieu a esquissé un sourire narquois.

- T'es encore plus belle comme ça.

- J'ai l'air d'un jardin.

- Le plus beau jardin du monde.

Madame Tranquille s'est rapprochée et je l'ai entendue dire à Mathieu :

- Dans le fond, je ne le porte pas… parce qu'il est trop affreux.

Puis elle est partie vers la piscine en ricanant.

J'ai pensé m'en aller. J'étais venue avec la conviction que ce serait « le plus beau jour de ma vie », pas « le moment le plus humiliant de mon existence ». Ça, tsé, j'en ai toute une collection.

Alors que j'allais retraiter en pleurant et en arrachant les poils de mes sourcils, un homme dans la piscine a crié :

- Allez, la vieille, viens nous rejoindre !

Misère.

Je suis donc allée faire de l'aquaforme avec ces sympathiques vieillards, ce qui a beaucoup amusé Mathieu.

Pendant une heure, j'ai « tonifié le haut et le bas de mon corps », « renforcé mes muscles abdominaux », « pratiqué des exercices articulaires », « médité en mouvement pour améliorer mon équilibre ». Pendant les 10 minutes de bain libre, j'ai évidemment nagé en p'tit chien.

Bref, j'ai donné à tous l'impression que j'avais réellement 92 ans. ☺

À la fin, on a échangé nos adresses électroniques. En fin de semaine, je vais me procurer une canne et les accompagner pour aller faire du porte-à-porte afin de retrouver le dentier de la doyenne du groupe.

Je leur ai appris un mot : « nawak ». À attribuer à quelque chose qui est « n'importe quoi ». Madame Tranquille a compris : elle m'a donné son bonnet de bain (trop gentille !) parce qu'il est *nawak*. Et qu'il lui donne des champignons.

J'espère qu'elle rigolait…

(…)

Même si je n'ai pas fini (le croustillant s'en vient !), Fred a ABSOLUMENT besoin de l'ordi, paraît que « l'heure est grave ».

Je vais en profiter pour faire mes devoirs.

Publié le 6 novembre à **21** h **21** par Nam
Humeur : Enfiévrée

> Enfin, le premier baiser

Je ne sais pas ce qui se trame dans la chambre des gars, mais j'ai peur.

Cet après-midi, Fred est sorti avec Tintin et quand ils sont revenus, ils étaient « furieux », m'a dit Grand-Papi. J'ai essayé d'en savoir plus, mais ils ne veulent rien me dire. Tintin parle « d'injustice flagrante » et de « poursuite historique », tandis que Fred a l'air d'en vouloir à son agent. Qu'est-ce qu'ils ont encore fait, ces deux-là ?

Il y a quelques minutes, je suis allée récupérer l'ordi dans leur chambre. Et j'ai vu quelque chose de vraiment troublant. En fait, je ne sais même pas si j'ai compris ce que j'ai vu. Je vais l'écrire, comme l'image s'est gravée dans mon esprit pour le reste de l'éternité (sur mon lit de mort, dans 80 ans, quelques secondes avant de décéder, je vais hurler parce que ce sera la dernière image que je verrai, avec celle de la vieille dame qui attache les pattes d'un veau dans un rodéo avec ses seins qui pendouillent).

J'ai vu Tintin frotter avec ardeur — et du papier sablé — le ventre de Fred, qui gémissait de douleur.

Euh…

Ils m'ont violemment chassée de la chambre avec une torche anti-moustiques (!), me laissant avec cette image insupportable.

Il y a une explication. Il faut qu'il y en ait une. IL. LE. FAUT.

(…)

Tadam ! On s'est enfin embrassés, Mathieu et moi. Comment c'était ? OMG. Est-ce qu'il y a un mot qui réunit les mots « magique », « formidable », « sensationnel », « électrisant » et, euh, « mouillé » ? On s'est tellement embrassés que j'en ai les lèvres gercées ! Mais c'était TELLEMENT bon !

Après le cours d'aquaforme, j'ai aidé Mathieu à fermer la piscine. Fallait ramasser les accessoires, vérifier le niveau de chlore dans l'eau, régler la température et tout et tout. Sa patronne était partie, de sorte qu'on est restés seuls tous les deux.

Pour m'assurer qu'il n'avait pas eu honte de moi en raison de la chose infecte que Madame Tranquille m'avait donnée en me disant que j'étais née pour la porter, cette chose hideuse qui ne cessait de se redresser sur ma tête, ce qui me faisait ressembler à la Schtroumpfette, Mathieu a porté le bonnet pendant tout le temps qu'il a fermé la piscine. (Wow, méchante longue phrase !)

Par solidarité ! Trop chou, mon Matou !

Il m'a demandé ensuite si je voulais aller faire un tour au spa.

- Le SPA ? Tu veux dire la Société protectrice des animaux ?

Bon, je sais, très mauvaise blague. Mais j'étais nerveuse ! J'avais le goût de l'embrasser, mais j'avais peur qu'il me repousse.

- On n'a pas le droit de l'utiliser la fin de semaine, mais en secret, je l'ai préparé pour toi et moi.

Ohhhh ! 😍

Il m'a entraînée au fond de la salle, a retiré des panneaux et… le spa est apparu. Je n'avais jamais mis les pieds là-dedans.

Hé, mes amies, c'était chaud. Genre VRAIMENT chaud. Et ce n'est pas ce qui s'est passé entre Mathieu et moi : c'était l'eau qui était bouillante. Et comme je ne pouvais pas prendre mon temps en raison de l'intérieur de mes cuisses massacrées, il a fallu que j'endure.

Je me sentais comme une patate dans une casserole d'eau bouillante.

Mathieu était toujours à l'extérieur.

- Ça va ? L'eau est bonne ?

- Euh… Je n'y ai pas goûté.

- Ça va, Nam ?

J'ai levé mon pouce en l'air et lui ai fait un sourire crispé.

Mathieu s'est baissé et a observé le thermomètre.

- Oh, merde ! C'est beaucoup trop chaud ! Sors de là tout de suite !

Je n'ai pas bougé.

- Nam, sors !

Je me suis levée, espérant que ma peau ne se détache pas et ne flotte pas dans l'eau du SPA.

Puis, comme il fallait s'y attendre, Mathieu a visé mes cuisses. J'étais cuite, il venait de se rendre compte de mon épilation catastrophique.

Immédiatement, j'ai pris la serviette et je l'ai placée sur mes jambes.

- Tes jambes…

- Je sais, je sais, je ne veux juste pas que tu réalises que je suis un gars.

Une autre blague inappropriée. Bravo, Nam !

- Quoi ?

- Laisse faire.

- Regarde tes jambes.

J'ai soulevé un bout de la serviette. Elles étaient super rouges à cause de la trop haute température de l'eau. Au point où mes blessures de guerre ne paraissaient même plus !

- Que le grand cric me croque !

- Est-ce que ça va ? Je suis tellement désolé.

- Oui, oui, ça va, j'ai fait en laissant tomber la serviette. C'est cool !

J'avais l'air un peu trop heureuse pour une fille qui venait de se brûler les jambes au troisième degré.

Il a fallu quinze minutes avant que l'eau devienne tolérable. Et, pendant ce temps, Mathieu, qui s'en voulait de m'avoir ébouillantée, a caressé mes jambes. La peau était hyper sensible ; c'était vraiment agréable. Puis il a massé mes pieds. Il a des mains fantastiques. Je capotais. C'est mon sang qui s'est mis à bouillir. Je voulais qu'il me touche partout, partout, partout.

C'est dans le spa que c'est devenu plus sérieux. Il a activé les jets d'eau. Puis il est entré pour s'assurer que je n'allais pas devoir subir de greffe de peau.

Je suis entrée et je n'ai juste pas pu résister à la tentation de m'approcher de lui. J'avais besoin de sentir sa peau.

J'ai posé mes mains sur son torse musclé et je l'ai caressé.

Il me semblait que j'attendais ce moment depuis des années. C'est comme si un courant électrique était passé entre lui et moi.

- Je t'aime, j'ai dit.

- Moi aussi.

Il a lentement approché son visage du mien. Je pouvais sentir son haleine à la menthe.

- J'attends ce moment depuis tellement longtemps, il a dit.

Il a posé sa main juste en dessous de mon sein.

- Moi aussi.

Puis j'ai collé très lentement mes lèvres sur les siennes.

Et ç'a été FORMIDABLE !

Il embrasse tellement bien. Pas comme l'autre qui frétille de la langue comme un poisson en train d'asphyxier sur le bord d'un quai.

Je sais maintenant ce que signifie le mot sensuel. Ce n'est pas un mot, c'est une sensation. Mathieu prend son temps. Ne fait rien de mécanique. Et il a vraiment l'air d'aimer ça. Comme s'il me dégustait.

Ouf... J'y repense et j'en ai des frissons. 😊 C'était parfait.

Exquis.

On s'est embrassés exactement 29 minutes parce que Mathieu avait réglé les jets d'air à une demi-heure. Et il a fallu partir parce que toutes les lumières se sont éteintes. Mathieu avait peur que le gardien de sécurité active le système d'alarme et qu'on reste coincés jusqu'au lendemain.

Ça aurait été tellement dommage.

Dans le vestiaire, j'ai espéré qu'il vienne me rejoindre et qu'on continue à s'embrasser, en collant nos corps encore plus. Ça ne s'est pas produit.

On ne peut pas tout avoir !

On s'est quittés à l'arrêt d'autobus. Et je lui ai annoncé qu'on sortait ensemble. Il m'a fait un clin d'œil.

- J'espère.

- Sauf qu'il faut garder ça secret pour quelques jours. Le temps que ça se tasse avec Michaël.

- Pas de problème. Ce sera notre secret.

Je suis full amoureuse. C'est complètement fou. Il est super tard, je devrais me coucher parce qu'il y a de l'école demain, mais je suis surexcitée. J'aurais le goût de hurler de joie et de décaper les meubles de ma chambre avant de les repeindre en rose fluo.

(…)

Matou vient de m'envoyer un texto : « Je t'aime, à demain. »

Ahhh…

O.K., je dois dormir. Je vais aller rêver à Mathieu. Et à ce qui aurait pu se passer s'il était venu me rejoindre dans le vestiaire…

C'est ça
la vie ?

Namxox

Publié le 7 novembre à 16 h 18 par Nam
Humeur : Mal à l'aise

> Devrais-je me sentir mal ?

Les Dé-gars n'existent plus ! Et je suis en partie responsable de leur fin prématurée !

Parce que les directeurs de la ligue ont annulé notre victoire, j'ai décidé de me retirer. Toute cette histoire de fausses accusations me pesait. Je n'ai juste plus le goût de faire de l'impro. J'ai perdu le « feu sacré », comme dit Marguerite.

Eh bien, toute l'équipe a aussi décidé de remettre sa démission ! Mathieu ne m'en avait pas parlé, mais ce matin, ils se sont tous rendus chez le directeur pour lui remettre la lettre. Y compris Marguerite. La lettre dit que pour contester la décision, tous les membres des Dé-Gars ont décidé de démissionner.

Le règlement de la ligue stipule que lorsqu'il n'y a plus de joueurs, l'équipe est disqualifiée. Pour être réadmis dans la ligue, il faudrait remplir une nouvelle demande d'admission et soumettre un nouveau nom.

Les Dé-Gars sont morts.

Je suis une assassine.

(…)

Drôle de journée avec Mathieu. J'avais juste le goût de le coller et de l'embrasser. Mais paraît qu'il faut que j'assiste à mes cours. Pfft… Qui a inventé cette règle stupide ?

Le plus difficile a été de ne pas me montrer avec lui. Ce midi, dans le local des Réglisses rouges, j'aurais donné mes oreilles pour pouvoir l'embrasser.

Mais je me suis retenue.

C'est comme un jeu, entre lui et moi. On se frôle, on se lance des regards coquins, on fait des références au spa qui n'ont aucun sens. Genre :

Namou (mon surnom !) : « SPA aujourd'hui qu'il va neiger. »

Matou : « SPA anormal en novembre. Sois plus SPAtiente. »

ou

Namou : « Je le trouve tellement SPAper, mon nouveau cellulaire. »

Matou : « Ouais, j'aimerais bien en avoir un comme SPA. »

ou

Namou : « Mon SPAc me fait tellement mal aux épaules. »

Matou : « SPAuvre Namou ! »

Ah ! Ah ! *NAWAK* ! 😛

On n'a pas été très subtils, mettons. Kim s'en est rendu compte.

- C'est quoi, cette histoire de spa avec Mathieu ? elle m'a demandé dans l'autobus tout à l'heure.

- Rien. C'est juste un truc stupide entre nous.

Je me sens mal d'être sur un nuage pendant que Kim mène une vie d'enfer. Elle a passé l'après-midi d'hier avec Nath. Qui n'est plus aux soins intensifs : on l'a trans-férée dans un autre département. Elle respire seule, mais elle est encore dans le coma.

Qu'est-ce que je pourrais faire pour redonner un peu de joie de vivre à Kim ? Elle ne veut pas parler de ce qu'elle vit. Et je n'arrive plus à me connecter à elle. Elle répond à mes questions par des « oui », des « non » ou des « je sais pas ». Rien ne l'intéresse et elle ne fait plus ses devoirs.

Elle a passé son heure de dîner dans le local des Réglisses rouges à fixer le mur. Complètement plongée dans ses pensées.

Et en entrant dans les toilettes ce matin, je l'ai surprise en train de pleurer.

Poche. 😦

Elle et moi, on est vraiment dans des extrêmes. Je suis super triste pour Nath, mais les sentiments que j'éprouve envers Mathieu sont plus forts que tout.

Je pense que la seule chose que je puisse vraiment faire est d'être là. Si elle a besoin de moi, je vais être présente et l'écouter.

(…)

Pendant ce temps, le crétin qui a frappé Nath est en liberté. Il a plaidé non coupable et il va avoir un procès dans, genre, un an. Comment il fait pour dormir, cet imbé-cile ? Il continue à vivre sa vie comme si de rien n'était. O.K., il n'a plus le droit de conduire, mais c'est vraiment la seule privation qu'il subit. Il peut marcher, travailler, s'amuser, manger et dormir. Alors que Nath est incapable de lever le petit doigt.

La vie, c'est comme un château de cartes. Même quand elle semble solide, le moindre geste maladroit peut la détruire.

Je vais lui rendre visite ce soir. Mathieu va m'accompagner.

(…)

J'ai rencontré Monsieur Patrick pour le projet de journal étudiant. C'est excitant, tout ça !

Le but est de créer un journal qui soit, avant tout, produit par les élèves eux-mêmes. Il faudrait idéalement que tous les niveaux soient représentés. Monsieur Patrick m'a remis une liste de huit élèves qui ont de la facilité à écrire. Je vais les rencontrer et leur proposer de participer à l'aventure.

Ce qui est vraiment malade mental, c'est que le journal sera virtuel. Pas de version papier, un journal exclusivement électronique. La direction a accepté de transmettre chaque nouvelle parution à tous les élèves de l'école.

Pas d'arbres coupés ! Yé !

Et ça fait un journal qui ne coûte rien, à part le temps qu'on mettra à l'écrire. Ça, il paraît que la direction de l'école a aimé. D'accord, il faut de l'argent pour acheter un logiciel de mise en pages. Mais ce n'est pas comme s'il fallait dépenser des centaines de dollars pour chacune des impressions.

On a besoin de journalistes, mais aussi d'illustrateurs. D'ici la fin de la semaine ou la semaine prochaine, nous installerons une table à la cafétéria pour faire du recrutement.

C'est Monsieur Patrick qui va superviser le tout.

Ah oui : il faut donner un nom au journal. Monsieur Patrick a suggéré des noms vraiment poches et il a menacé de les utiliser si je n'en trouvais pas un meilleur. Ses suggestions :

❀ *Lanruoj* (« journal » à l'envers, tellement insensé).

❀ *Joujou* le journal (tellement livre-pour-enfants-de-quatre-ans).

❀ *Journal* (tellement pas-original).

❀ *Le J* (tellement dixième-lettre-de-l'alphabet). Ou, le pire de tous les pires :

❀ *Le journal des amis de l'école secondaire.*

Les « amis »… Comme à la maternelle ! C'est clair qu'avec ce titre-là on va avoir des millions de lecteurs.

Je vais en trouver un meilleur. Allez, Nam. Creuse-toi les méninges.

Le projet est enclenché ! Yé !

(…)

Pas eu de nouvelles de Michaël aujourd'hui. Je ne sais même pas s'il était à l'école (je m'en fous). Il n'a pas répondu à mon courriel.

J'ai eu peur pendant toute la journée qu'il me réserve une autre de ses surprises impossibles. Genre, qu'il surgisse devant moi déguisé en farfadet et exécute les pas d'une danse typiquement irlandaise en distribuant des pièces d'or dans un chaudron. Ou qu'il verse de l'essence sur ses vêtements et se transforme en torche humaine, courant dans les corridors en criant : « Namasté, je brûle pour toi ! »

Il a compris. Il était comme vraiment temps !

Restent les dauphins qu'il m'a donnés. Je ne sais pas trop quoi en faire. Est-ce que je devrais les laisser encore « nager dans mes rêves » ?

Est-ce que je devrais les lui remettre ? J'ai toujours peur de me réveiller le matin et de les surprendre dans le congélateur en train de bouffer des croquettes de poisson.

Ouais. J'ai peur.

C'est l'heure de la bouffe.

Made in Fred

Namxox

Publié le 7 novembre à 20 h 29 par Nam
Humeur : Dépassée

> Une autre incongruité signée Fred

J'étais censée aller à l'hôpital ce soir, mais je n'ai pas pu. Kim a appelé à l'hôpital et l'infirmière lui a dit que Nath passait des examens. Un scan au cerveau, je crois.

J'espère que les nouvelles seront bonnes.

Kim est venue, on a fait nos devoirs ensemble. J'ai réussi à la faire rire en imitant (vraiment mal) le prof. Quand il parle, il bouge toujours les mains. Comme un oisillon qui travaillerait très fort pour s'envoler. Ou comme si le prof venait de poser les mains sur une bouilloire brûlante. Et il ne se rend pas compte qu'il fait ça. Ses élèves, oui. Au point où ça nous déconcentre. Si on coule le cours, on pourra dire que c'est sa faute. Hé, hé…

Donc, j'ai fait bouger mes mains, j'ai commencé à pousser des petits cris et quand j'ai vu apparaître un semblant de sourire, j'ai esquissé des pas de danse. Puis, sans aucune raison particulière, j'ai tiré la langue comme si elle était collée sur un poteau de métal l'hiver (pas sûre qu'elle a deviné que c'était ça, mais j'ai quand même essayé).

J'ai travaillé fort, mais j'ai réussi à la faire rire.

Tout n'est pas perdu.

(…)

Mais le fait saillant de la soirée, ce n'est pas ma très mauvaise imitation. J'ai finalement appris ce que mon frère et Tintin ont fait de leur dimanche après-midi.

J'étais vraiment sûre que lorsque j'arriverais à la maison avec un téléphone cellulaire, mon frère allait chialer pour en avoir un. Même si la première chose qu'il voudrait faire avec serait d'essayer de le faire pénétrer entièrement dans sa bouche et de s'appeler pour le faire sonner parce que c'est « full drôle ».

Je savais qu'il tramait quelque chose parce qu'il n'a rien dit quand il m'a vue le sortir du sac. Depuis hier, il est d'une humeur massacrante. Je l'ai même vu se mettre en colère et engueuler le plâtre sur sa jambe. Il lui a reproché d'être « trop dur ». Et il a dit de la poignée de la porte de sa chambre qu'elle était « trop ronde ».

Je m'étais finalement persuadée de n'avoir rien vu quand j'ai surpris Tintin en train de caresser la peau du ventre de Fred avec du papier sablé.

C'est bel et bien ce qu'il a fait.

J'ai appris que Tintin a aussi appliqué du vernis à ongles, du bicarbonate de soude et du dissolvant à peinture.

Pour faire disparaître quoi ? Je n'en reviens toujours pas : un tatouage.

Fred s'est fait… tatouer ! Et il ne l'a pas dit à Mom. Ni à Pop, bien entendu, sinon il aurait l'autre jambe cassée.

La fréquentation de sa vidéo virale a beaucoup diminué ces derniers jours. Elle a été remplacée par Gustave, une grenouille qui fait du skateboard.

Tintin veut absolument « surfer sur la vague ». Et sa dernière chance, c'est cette Web-réalité dont Mom ne veut rien savoir.

Pour prouver que le prix offert est « le rêve de sa vie », Fred a voulu se faire tatouer… un lit de bronzage. Un petit. Un truc « discret ».

Quand il m'a raconté l'histoire, je me suis dit : le pire tatouage du monde.

Et non. Il y a PIRE.

Après quatre heures de torture, Fred a eu droit au tatouage montrant un grain de riz géant avec un visage. ☺

Oui, c'est possible. J'ai vu « la chose » de mes propres yeux. Je ne l'ai pas touchée, cependant, j'avais peur que le grain de riz me morde.

Ça fait vraiment peur. Le grain de riz est long comme mon index. Et le visage… Comment dire ? C'est celui d'un être (homme ou femme ? Impossible à déterminer) avec une bouche déformée et un genre de groin, oui, un nez de cochon. Et il a un air « genre, j'ai-toujours-pensé-que-j'étais-un-homme-mais-je-viens-de-découvrir-fortuitement-que-je-suis-une-femme ».

Et la peau est comme verte. Donc, il a l'air de souffrir d'une gastro.

Sans compter que c'est une commandite, parce que ni Fred ni Tintin n'avaient d'argent pour payer le tatoueur. Ça veut dire que, juste au-dessus du tatouage, il y a une adresse de site Internet : joe-le-sourd.com.

« Joe le sourd » est celui qui a tatoué mon frère. Et j'imagine qu'il porte bien son nom, puisqu'au lieu de tatouer un lit de bronzage, il a gravé sur le ventre de Fred un grain de riz géant avec un visage.

Ce n'est qu'à mon frère que ce genre de truc arrive.

Le pire, c'est que Tintin a supervisé le travail ! Il n'a pas lâché des yeux Joe le sourd. Pourquoi ne pas avoir réagi ? Me semble qu'un lit de bronzage et un visage sur un grain de riz, c'est comme fort éloigné ! Pour se défendre, Tintin a dit qu'il voulait « respecter l'intégrité artistique » de Joe le sourd.

Maintenant, le but de Fred est de cacher le tatouage à mes parents jusqu'à leurs 85 ans. Car il semble que ça coûte une fortune faire enlever les tatouages. Et cette fois, pas moyen d'obtenir de commandite.

Faut maintenant qu'il trouve une Web-réalité où un grain de riz géant avec un visage est approprié.

Il ne pourra jamais se trouver de blonde avec ça sur le ventre. Si Mathieu avait ce genre d'horreur, même sur une fesse, ça tuerait à grands coups de poêle à frire l'amour que j'ai pour lui.

(…)

O.K.

Là, ça commence à être moins drôle.

Je viens de recevoir un autre courriel de cette personne qui me déteste et qui me traite de menteuse et de voleuse.

Cette fois, pas de chaleureuses insultes. Juste un fichier joint.

Et qu'est-ce qu'il y a dans le fichier ?

Une photo de moi en route vers l'école.

J'ai peur. 😟

> Ça commence à faire !

Les insultes, c'est une chose. La photo, c'est une autre paire de manches.

Quand je suis allée prévenir Mom, j'avais vraiment l'intention de garder mon calme. Mais je n'ai comme pas pu m'empêcher de pleurer.

J'ai peur. C'est super menaçant.

Pop a appelé un de ses amis policiers. Demain, il va porter plainte à la police. Je vais réunir tous les courriels de méchancetés que j'ai reçus et cette photo.

Malgré toutes ces preuves, ce ne sera pas suffisant pour ouvrir une enquête. Parce que la personne ne m'a pas menacée de blessures ou de mort et qu'elle m'a photographiée dans un endroit public.

Quand même. C'est inquiétant.

L'ami de Pop dit qu'il faut ignorer cette personne. Parce que ce qu'elle veut, c'est de l'attention. Elle désire plus que tout me déstabiliser.

Je dois avouer qu'elle a réussi. Avec l'équipe d'impro, d'abord. Avec ses insultes, ensuite. J'ai beau essayer de me construire une carapace, ça fait mal.

Aussi, le policier m'a dit que j'allais devoir changer mon adresse courriel.

Mom insiste pour me reconduire à l'école et venir me chercher. Mais si la personne s'en rend compte, elle va se dire qu'elle a réussi à me perturber.

Schnoute. Je ne me sens vraiment pas bien. ☹

Je n'arrête pas de me demander qui ça pourrait être. Je cherche, je cherche et je ne trouve pas.

La seule personne qui me vient en tête, c'est Mylène, l'ex-blonde de Michaël. Disons que la seule fois où je l'ai rencontrée, le courant n'a vraiment pas passé. Elle a été full Réglisse noire avec moi.

C'est la seule qui pourrait me traiter de voleuse. Menteuse, je ne sais pas trop pourquoi. Elle va à l'école, cette fille, non ? Comment elle a fait pour me photographier ? Il me semble qu'elle a pris un gros risque, car j'aurais pu la surprendre.

Arghhh ! Pourquoi ça ne peut jamais aller bien ? Pourquoi faut-il toujours que quelque chose survienne pour ternir mon bonheur !

Pourquoi ?

(…)

Séance de textos avec Matou :

Namou : « J'ai peur. »

Matou : « Je suis là. Je vais te protéger. »

Namou : « T'es fin. Je t'aime. <3 »

Matou : « S'il le faut, je vais dormir devant chez toi. »

Namou : « Mais non, je vais te faire une place dans la niche de Youki. ;-) »

Matou : « Je ne mérite pas ça. Pour toi, je dormirais plutôt sur un lit de clous. »

Namou : « Arrête, je vais penser que tu m'aimes VRAIMENT. »

Matou : « Je t'aime VRAIMENT. »

Namou : « Ohhh ! »

Matou : « Je veux TOUJOURS être avec toi. Genre, 25 heures sur 24 »

Namou : « Juste 25 heures ? Je suis déçue. »

Matou : « 48 heures sur 24 ! »

Namou : « C'est mieux. »

Matou : « Personne ne va te faire de mal. Je te le promets. »

Ahhh ! Rien de mieux qu'une discussion avec Mathieu pour me remonter le moral.

Je dois dormir.

Je vais penser à lui. Imaginer qu'on est ensemble dans mon lit, collés-collés…

> ### > Namasté la guerrière

Même si je n'ai pas beaucoup dormi, je me sens en pleine forme.

Ce n'est pas vrai qu'un inconnu va réussir à me démoraliser. Je suis plus forte que ça.

Si cette personne pense que son harcèlement va m'empêcher d'être heureuse, elle se met un doigt dans l'œil jusqu'aux genoux.

Je lui ai peut-être fait du mal. Peut-être est-elle allergique à toutes les Namasté du monde entier. Mais ce n'est pas une raison pour me harceler.

Une Réglisse rouge, ça ne se laisse pas démonter par une Réglisse noire. Oh que non.

Et Matou me soutient. Ça me donne encore plus d'énergie pour combattre le Mal.

Je suis confiante au point d'avoir pris une décision : je vais la pourchasser. Je vais tenter de trouver qui c'est et je vais lui flanquer des baffes.

Bon, d'accord, pas de baffes. Je vais plutôt lui mettre la tête dans une cuvette de toilettes qui n'a pas été lavée depuis la chute de Constantinople (le 29 mai 1453, c'est la fin du Moyen Âge et le début de la Renaissance ; j'ai appris ça dans mon cours d'histoire hier, je trouve que ça se glisse bien dans un blogue, j'ai l'air plus intelligente).

Au tour des moufettes

Namxox

> **Il est de retour !**

Fallait que je m'y attende : Michaël est revenu à la charge.

Et parce qu'il ne peut pas être discret, il a fallu qu'il fasse son show.

La journée avait pourtant bien commencé. Qui ai-je eu le plaisir de voir en ouvrant la porte de la maison pour me rendre à l'arrêt d'autobus ? Matou !

- Personne ne te fera de mal, il m'a dit avant de m'embrasser.

Ahhh !

Kim était de bonne humeur. La mère de Nath lui a dit que le scan de son cerveau était bon. Les lésions guérissent lentement et il n'y a pas d'hémorragie. C'est encourageant. Même si on ne sait pas combien de temps encore elle restera dans le coma. Et, surtout, si elle sera O.K. en se réveillant.

Kim a vu que Mathieu et moi, on se tenait par la main. Il a comme fallu que je lui dise qu'on sort ensemble.

- Je suis contente pour vous. Mais, euh, Michaël, comment il a pris ça ?

- Il ne le sait pas. On va garder notre relation secrète encore un peu.

- J'ai oublié de te le dire, mais hier, il m'a demandé si je t'avais vue.

- Pourquoi ?

- Aucune idée. Mais il avait l'air de te chercher activement.

Dans l'autobus, même si j'avais vraiment le goût de me coller sur Mathieu, j'ai parlé avec Kim. Il ne faut pas que je la délaisse parce que j'ai un chum. Et je crois que ces temps-ci, elle a besoin de moi. Je suis sûre qu'un jour pas si lointain, j'aurai besoin d'elle, moi aussi.

Tout allait bien jusqu'à ce que j'arrive à l'école. De loin, j'ai vu des trucs blancs et noirs sur la pelouse devant la bâtisse. Comme d'étranges fleurs.

- C'est pas des fleurs, a dit Mathieu.

- Non, on dirait des animaux, a rajouté Kim. Genre, des chats.

- Rien ne bouge, j'ai dit.

En se rapprochant, on a pu voir. Des centaines de moufettes en plastique avaient été plantées dans le terrain. Et sur un panneau, on pouvait lire : « Namasté, je t'aime au point de sentir la mouffette. »

Première réaction : j'ai prié tous les dieux de toutes les religions pour qu'il y ait une autre Namasté dans l'école à qui s'adressait ce message hautement poétique. Nan. Je suis la seule et unique.

Deuxième réaction : je vais m'enfuir dans un pays lointain où aucun être humain n'a encore mis les pieds (mais je veux quand même Internet et une douche avec de l'eau chaude).

Troisième réaction : je dois absolument parler à Michaël. Il faut régler ce malentendu MAINTENANT. Avant que ça dégénère.

- Il t'aime vraiment, a dit Mathieu.

Il avait un ton mi-sérieux, mi-blagueur.

- Peut-être, mais pas moi. Il faut qu'il arrête. Sinon, je vais lui faire avaler ses mouffettes une par une.

J'étais fâchée. Vraiment. Michaël ne me prend pas au sérieux. Comme si ce que je disais ne comptait pas.

Il s'arrange toujours pour que je me sente mal. Comment puis-je lui faire comprendre que je ne l'aime pas après toutes ses tentatives pour me charmer ? Je passe pour une ingrate. Et une fille toujours insatisfaite.

Aussi, ses trucs pour me séduire (qui me repoussent à présent), c'est toujours une mise en scène où il devient le centre d'attraction. C'est lui la vedette. Moi, je ne suis que la faire-valoir. Je suis là parce qu'il a besoin de moi. Mais je pourrais être interchangeable.

Ça m'ÉNERVE !

Finalement, ça veut dire quoi : « Namasté, je t'aime au point de sentir la mouffette » ? C'est *nawak* puissance 1000, ce truc. Le pire, c'est qu'il a dû y penser pendant des jours. Est-ce qu'il croit vraiment me faire plaisir avec cette preuve d'amour digne de la craque de fesses d'un orang-outan ?

Je n'ai pas eu à chercher longtemps Michaël. Il était dans les marches, à m'observer. Les bras croisés et un sourire satisfait sur les lèvres.

- Alors ? il m'a demandé.

- Alors quoi !? Qu'est-ce que tu veux prouver avec ces singeries ?

- Ce ne sont pas des singes, ce sont des moufettes.

- Oh, laisse faire avec ton humour de mononcle. Tu as lu mon courriel ?

- Peut-être.

- Peut-être ? C'est oui ou c'est non ?

Il a fait oui de la tête.

- Alors qu'est-ce que tu ne comprends pas ? Comment je pourrais être plus claire ?

- Tu m'aimes encore. Tu as pleuré quand je t'ai laissée. Tu ne peux pas avoir mis une croix sur l'amour que tu as pour moi en si peu de temps.

Bon point. Je n'aurais pas dû jouer la tragédienne.

- Michaël, fiche-moi la paix. T'as compris ? FICHE-MOI LA PAIX !

Ces quatre derniers mots, je les ai criés.

Et je suis partie. Et quand j'ai vu que Mathieu m'attendait devant mon casier, je n'ai pas pu m'empêcher de l'embrasser devant tout le monde.

J'ai décidé de ne plus me cacher. Quand Michaël va nous voir, main dans la main, il va comprendre, non ?

Je m'en vais au local des Réglisses rouges où Kim doit m'attendre.

> On. M'observe.

Je deviens parano avec cette histoire de photo prise à mon insu. En sortant de l'école, je regardais sans cesse à gauche et à droite et dans les airs (au cas où le psychopathe aurait loué un dirigeable), question de m'assurer que personne ne me surveille.

C'est super agressant d'être prise en photo à son insu. J'aurais vraiment du mal à être une vedette à Hollywood. Gagner des millions même si je joue dans des films ultra poches, pas de problème. Sortir avec les gars les plus chauds, ouais, cool. Être victime de rumeurs débiles sur le Net, O.K. Faire des publicités de couches pour personnes âgées à 23 ans parce que je suis rendue une *has been*, ça passe. Mais les paparazzis ? Se faire prendre constamment en photo et voir ces instantanés publiés sans aucune mise en contexte ? Être entourée d'une meute de photographes qui n'attendent qu'un faux pas de ma part pour me bombarder de cliquetis de flashs et d'appareils photo ? Jamais.

De toute façon, ça me surprendrait que la personne recommence. Ce serait trop risqué. Non, je pense que la prochaine fois, elle va me filmer pendant que je fais mon pipi du matin.

Ah ! Ah ! Je capoterais tellement !

J'y ai pensé beaucoup. La seule personne qui pourrait m'en vouloir vraiment est Mylène. Il n'y a personne d'autre.

Maintenant, je dois trouver des preuves. Ce ne sera pas facile parce que je n'ai aucune idée du lieu où elle habite et de son emploi du temps. Je ne sais même pas son nom de famille !

Si je pouvais la coincer…

(…)

Michaël a compris, cette fois.

Je l'ai vu dans son visage. Il s'est décomposé devant moi.

Je sais que c'est chien ce que je viens de faire. C'est limite cruel. Mais il ne m'a pas laissé le choix.

Michaël m'a vue tenir la main de Mathieu en sortant de l'école. Et j'ai fait quelque chose de vraiment dégueulasse : j'ai embrassé Mathieu sur la bouche.

Ce n'est évidemment pas embrasser qui était dégueulasse. Au contraire ! Je passerais ma vie la bouche sur la sienne, même quand je suis sur la chaise du dentiste.

Non, ce qui est dégueulasse, c'est que j'ai voulu faire mal à Michaël. Et j'ai réussi d'aplomb.

Il ramassait les moufettes sur le terrain après l'école. Quand il m'a vue, il m'a fait un sourire. Puis son regard s'est abaissé de quelques millimètres et s'est arrêté sur ma main qui était dans celle de Mathieu. Son sourire a disparu lentement.

Alors, je me suis arrêtée et j'ai posé ma bouche sur celle de mon chum. Quand je me suis retournée, on aurait dit que le visage de Michaël s'était liquéfié, fondu comme de la crème glacée au soleil. Comme si je venais de lui donner un coup de poignard en plein cœur.

J'ai des remords. Je me sens full coupable. ☹

D'un côté, je me dis qu'il était temps que Michaël se rende compte qu'il doit respecter mes opinions. Et, surtout, agir en conséquence.

D'un autre côté, j'ai l'impression d'avoir tué une mouche avec une tapette atomique au laser multi protons galvanisés aux rayons gammas. Est-ce que c'était vraiment nécessaire d'être aussi directe ?

J'ai agi sur un coup de tête. J'aurais dû me calmer les nerfs.

Je vais l'appeler pour m'expliquer.

(…)

Sa mère m'a dit qu'il n'était pas là, mais je l'ai entendu parler en arrière.

Ouch.

Je vais lui écrire un courriel. Je ne sais juste pas quoi lui dire. Je ne veux pas le blesser davantage.

Je déteste me trouver dans ce genre de situation.

Il n'y a qu'une personne à blâmer et c'est moi.

Je vais aller manger, même si je n'ai pas faim.

Publié le 8 novembre à 20 h 38 par Nam
Humeur : Piteuse

> Toujours pas d'appel

J'ai écrit un courriel très court à Michaël. « Je veux absolument te parler, appelle-moi. » Je lui ai laissé mon numéro de téléphone cellulaire.

J'espère qu'il va me donner un coup de fil. Parce que je me trouve vraiment nulle.

Je n'ai pas soupé. Mom est venue me voir pour me demander ce qui n'allait pas. Je lui ai juste dit que j'avais mal au cœur.

Elle m'a laissée tranquille, mais il était clair qu'elle ne me croyait pas.

Mathieu aussi m'a demandé ce que j'avais. Je ne veux pas lui en parler. Il pourrait croire que j'aime encore Michaël.

J'aurais tellement dû me calmer les nerfs. Je m'en veux ! J'ai agi comme une Réglisse noire.

(…)

Je dois trouver un nom pour le journal étudiant. Genre, tout de suite. Parce que demain, Monsieur Patrick doit remettre un plan à la direction.

Avec Matou (qui va collaborer, il veut être photographe), on en a déniché quelques-uns :

❀ Le *NAWAK* : NAWAK voulant dire « n'importe quoi », pas sûre que ce soit crédible.

- *Le 1263 :* le nombre d'élèves dans l'école actuellement (mais quand il y en a un qui va être transféré ou qui va décrocher, faudra changer de titre, non ?).

- *Tout le monde tout nu ! :* j'ai lu quelque part que le sexe faisait vendre. J'ai pensé qu'on pourrait mettre des photos d'un professeur nu à chaque édition. Ah ! Ah ! Ça va devenir une publication spécialisée sur les horreurs de la nature (ahhh, pas fine !).

- *Caca dans le pot :* O.K., je n'avais plus vraiment d'idées, mais c'est quand même un livre que j'ai trouvé à la bibliothèque de l'école et que j'ai lu en ENTIER, de la page 1 à la page 4. Ce serait un genre d'hommage à ma découverte. Ou quelque chose du genre.

Et mon préféré :

- *L'Écho des élèves desperados :* je l'adore parce qu'il a un côté croustillant que j'aime, car *desperado* signifie « un individu sans foi ni loi et prêt à tout pour parvenir à ses fins, même à faire des gestes désespérés ». Ça ne passera JAMAIS, mais on peut toujours espérer.

C'est mille fois mieux que *Les amis de l'école secondaire*, non ?

(…)

J'ai reçu des messages des filles de ma classe, elles se demandent ce qui se passe avec Michaël et si je sors avec Mathieu. Les rumeurs vont vite.

Euh… C'est comme pas de vos affaires, les filles ?

Je savais tellement que cette histoire allait dégénérer. Là, je passe pour celle qui butine d'un garçon à l'autre telle une bergère dans un champ d'avoine, allant d'un mouton à l'autre pour les caresser.

C'est plein de personnes qui doivent se dire, présentement : après tout ce que Michaël a fait pour elle, elle ose le laisser pour un autre gars ! Quelle vache ! Meeeuh !

C'est pas mal plus compliqué que ça. Je n'étais pas heureuse avec Michaël. Je me sentais forcée de l'aimer. Et il ne m'écoutait pas. J'étais comme son accessoire.

Il ne m'a toujours pas rappelée. Je regarde mon cellulaire toutes les cinq secondes, question de m'assurer que je n'ai pas manqué son appel.

Est-ce qu'il est furax contre moi et qu'il commence à raconter des trucs absurdes sur mon compte (qu'il y a un temple dans ma chambre où il m'arrive de sacrifier des bébés chèvres au dieu des Réglisses rouges !) ? Est-ce qu'il répand des rumeurs insensées (que tout le monde et la bibliothécaire vont croire, bien sûr) ?

Naaan. Ce n'est pas son genre. Pas du tout.

Enfin, j'espère…

(…)

J'ai officiellement changé mon adresse courriel. J'ai envoyé des messages à tous mes amis pour les avertir et j'ai fermé mon ancien compte.

C'est finalement une bonne affaire. En plus de rendre les choses plus difficiles pour la gentille personne qui m'envoie des mots doux, je vais pouvoir me débarrasser des tonnes de pourriels que je recevais chaque jour. Incroyable, la quantité de cochoncetés qui envahissaient ma boîte de courrier. Des trucs hallucinants. Je ne peux pas penser qu'il y a des gens qui y croient.

Comme dit Grand-Papi, quand c'est trop beau pour être vrai, eh bien, c'est trop beau pour être vrai !

Des fois, quand je n'avais rien à faire (genre, RIEN à faire), je m'amusais à ouvrir les messages. C'est fou comme ces gens nous prennent pour des imbéciles. Mais s'ils continuent, c'est que ça doit marcher, non ? Genre, une fois sur un million ?

Je suis toujours étonnée par la créativité (ou la non-créativité) dont ils font preuve. Il y a vraiment des gens payés pour écrire ces niaiseries-là ? Ils font ça de neuf heures du mat à cinq heures de l'après-midi ? Et sur leur carte professionnelle, c'est écrit quoi ? Qu'ils sont des faiseurs de spam ? Des géniteurs de pourriels ? Des inventeurs de supercheries virtuelles ? Des producteurs de cochonneries ? Des receleurs de prout-prout cybernétiques ?

J'imagine que les ficelles de leur arnaque sont tellement grosses que des gens pourraient penser que c'est vrai.

Ceux dont je me souviens, avec mes notes sur 10 pour la menace, l'originalité et la vraisemblance :

❀ On me disait que mon adresse courriel allait être détruite au lance-flammes si je n'envoyais pas mon mot de passe et la réponse à ma question secrète dans les 24 heures.

Menace : 6 - Originalité : 3 - Vraisemblance : 1

❀ Une princesse africaine est en prison (mais elle a accès au Web !) et elle désire transférer un milliard de millions de centaines de trillions de dollars dans mon compte de banque. Elle me promet 10 % de cette somme si j'accepte son entente. Mais pour ça, je dois payer les frais d'administration du transfert.

Menace : 1 - Originalité : 6 - Vraisemblance : -1

🏵 Une femme qui veut mon bien (!) me promet que je vais gagner plus de 742 $ (pile !) par jour en fabriquant des bombes atomiques à la maison. Faut juste que j'achète le kit de départ à 1 042 $ (pile !). La compagnie s'occupe de vendre le matériel à des terroristes.

Menace : 1 - Originalité : 8 - Vraisemblance : -6

🏵 Les bases de données d'une banque (même pas la mienne) ayant été mangées par un hippopotame, je dois leur envoyer immédiatement mon numéro d'utilisatrice et mon mot de passe, la réponse à la question secrète, mon numéro d'assurance sociale et un peu de ma salive dans un pot à médicament.

Menace : 5 - Originalité : 9 (hippo !) - Vraisemblance : -10 (hippo !)

C'est sans compter les milliers de messages qui ont à cœur les droits d'égalité dans la société, en ne considérant surtout pas les femmes comme des objets sexuels.

Donc, je repars en neuf et…

OMG ! Michaël m'a écrit !

> Ce ne sera pas facile...

On vient de se parler au téléphone pendant plus d'une demi-heure. Et ça s'est quand même relativement bien passé. Si je suis optimiste.

Il n'est pas trop heureux, c'était à prévoir. Et il est sûr que je l'ai trompé avec Mathieu. Je lui ai juré que je ne l'avais pas trompé. Je crois que j'ai réussi à le persuader.

(Une chance qu'on n'a pas parlé de la définition de « tromper » parce que là, ça aurait été un peu risqué. Si tromper un gars, c'est en embrasser un autre que son chum, là, non, je n'ai trompé personne. Mais si tromper un gars est d'en trouver un autre chaud et sensuel, et de rêver à lui pendant qu'on est avec le premier, là, je suis coupable. Mais bon, ça, je vais le garder pour moi.)

Je me suis excusée pour ce que j'avais fait. Mais je lui ai donné mon point de vue : je suis tannée qu'il ne me prenne pas au sérieux. Il aura beau m'offrir toutes les couronnes mortuaires du monde ou planter cinq cents moufettes sur le terrain de l'école pour me dire son amour, ça me laissera froide si je ne sens pas d'amour. Et je suis tannée d'être comme un trophée pour lui. Et de sa jalousie. Et de son attitude de sangsue. De tout lui, finalement.

Il a tout écouté sans broncher. Puis il a répliqué. Il m'a dit que, depuis le début, sa mère lui disait de se méfier de moi. Et il a toujours senti que j'avais un penchant pour Mathieu. Quand j'ai fait mes lapsus, il a dit qu'il en a eu les preuves.

- Non, non, c'était juste un ami.

- Ouais, me semble. Un jour tu pleures parce que je te laisse et le lendemain, tu sors avec un autre gars. C'est pas crédible, ton affaire, Nam.

Schnoute ! Il a trop raison. Mais j'ai fait comme s'il ne comprenait rien à la situation.

- Non, non, c'est plus compliqué que ça. Tout s'est passé rapidement. Je veux soigner ma peine d'amour avec Mathieu.

- Est-ce que ça veut dire que tu ne l'aimes pas vraiment ?

- Non, euh, je l'aime…

J'ai constaté qu'il m'entraînait sur un terrain recouvert de Vaseline, d'huile végétale et de lubrifiant conçu pour empêcher les portes de faire couic-couic. Pas question de le suivre !

- Je ne veux pas parler de ça. Je voulais juste te dire que je suis désolée que ça se termine comme ça.

- Après tout ce que j'ai fait pour toi, c'est vraiment tout ce que je mérite ?

Il n'a rien compris. ☹

- Je ne t'ai jamais demandé de fouiller dans les poubelles pour me trouver une couronne mortuaire.

Il y a eu un silence. Je me suis sentie forcée d'en rajouter.

- Même si tu m'avais décroché la Lune ou si tu t'étais fait greffer un deuxième nez dans le front, ça n'aurait rien changé. L'amour, ça ne se passe pas comme ça. Ce n'est pas un spectacle son et lumière avec des nains qui avalent des couteaux à beurre.

C'est à ce moment que j'ai entendu la mère de Michaël réagir.

- Parce que toi, tu connais ça, l'amour, hein ?

QUOI ?! Pendant tout ce temps, j'étais sur le main libre ! Elle avait tout entendu depuis le début !

J'ai failli péter les plombs, mais je me suis retenue à deux mains et à deux pieds. Et je me suis donné des airs de fille qui savait que sa conversation n'était pas privée :

- Je ne sais peut-être pas ce qu'est l'amour, mais je sais ce que ce n'est pas. Est-ce que je pourrais avoir une conversation privée avec Michaël, s'il vous plaît ?

Il y a eu un murmure. Puis un cliquetis.

- Je suis seul, il a dit.

- Bien. Est-ce que tu comprends où je veux en venir ? Est-ce que tu comprends ce que je te dis ?

- Ouais, ouais.

Il était clair dans le ton de sa voix qu'il ne voulait plus rien savoir. J'ai décidé de mettre fin à la conversation.

- J'ai des devoirs à terminer. On se voit demain ?

- C'est ça.

Et il a raccroché.

Que dire ? J'ai gaffé. Maintenant, je répare les pots cassés.

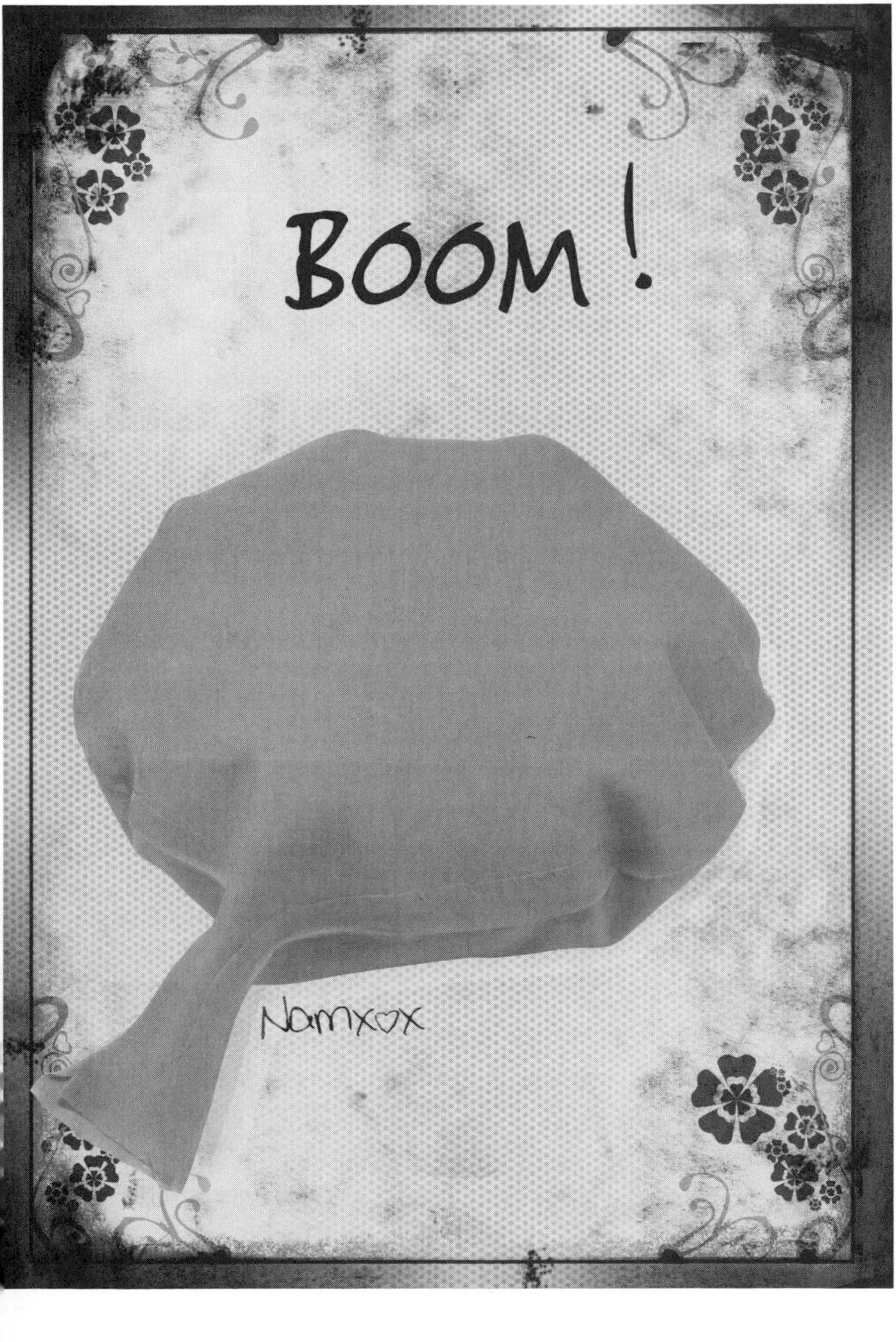
BOOM!
Namxox

Publié le 9 novembre à 16 h 21 par Nam
Humeur : Bouillante

> L'heure de la vengeance a sonné !

Avec Michaël, TOUT ce qui peut mal aller va mal.

Je suis visiblement devenue la pire fille que la terre ait jamais portée.

J'ai croisé quelques-uns de ses amis à la cafétéria et j'ai eu droit à des regards méprisants, genre : « T'es une malpropre, une sorcière et une diablesse. » Sérieux, j'exploiterais des jeunes enfants pour qu'ils fassent mes devoirs ou mon lit et ce serait moins pire.

Mathieu dit de les ignorer. Ce que je fais, mais quand même, c'est duuur ! Je voudrais les prendre un à un et leur expliquer ma version des faits, pas celle de Michaël qui doit ressembler à : « J'ai tout fait pour elle et elle m'a laissé quand même pour un autre gars, et avant de partir, elle m'a donné un coup de pied entre les deux jambes et elle a ricané comme une démone. »

Sans compter que les têtards gluants de ma classe ont commencé à me demander, les uns à la suite des autres, de sortir avec eux parce qu'il paraît que « c'est facile ». Quand je me suis rendu compte que c'était un jeu stupide, j'ai répondu « oui » au troisième. Quand j'ai voulu l'embrasser devant tout le monde, il est devenu blême comme un banc de neige en pleine campagne. Le pauvre petit, je pense qu'il n'a même jamais vu un soutien-gorge de sa vie ! 😊 Il pense que c'est un Georges dans une balançoire. (Hein ?)

(…)

En plus, il est arrivé un « accident » pendant la première période. Les gars étaient surexcités parce que l'un d'eux avait apporté une « machine à pets ». Il s'agit d'un ballon rouge qu'on gonfle. Quand une personne s'assoit dessus, le ballon se dégonfle en faisant des bruits de pets.

L'un d'eux (tout le monde dit que c'est Gabriel, qui serait prêt à vendre ses lobes d'oreilles sur le Net si ça faisait rire) a décidé de le mettre sur la chaise de la prof au début de la période.

Quand la prof s'est assise, elle ne l'a pas vu. En fait, le ballon ne s'est pas dégonflé, il a EXPLOSÉ. 😃 Elle est un peu forte du siège.

Parce que tout le monde s'attendait à une FFJ (fausse flatulence juteuse), on a fait le saut quand on a plutôt eu droit à une DEE (détonation d'engin explosif). Des filles et un gars sensible ont poussé des cris.

Comme si ce n'était pas assez, la prof s'est levée, furieuse, s'est retournée pour voir ce qu'il y avait sur sa chaise, et c'est à ce moment qu'on s'est tous rendu compte que le ballon était resté coincé entre ses fesses.

Tout le monde riait, évidemment. La prof, elle, ne comprenait pas trop ce qui se passait. Une fille lui a dit qu'elle avait quelque chose de coincé dans la « craque ». La prof s'est retournée et n'a rien vu. Alors elle a pensé que la fille se moquait d'elle et lui a demandé de quitter la classe !

On a commencé à manifester notre désaccord. Un gars lui a dit que les résidus de la bombe étaient vraiment prisonniers de la gueule du monstre. Elle a rougi et elle est sortie. Et… elle n'est pas revenue.

Un autre prof a pris la relève.

Oups ! M'est avis que Gabriel est dans la schnoute.

Les gars sont tellement zoufs des fois. C'est épouvantable. Mais ça donne quand même de bons fous rires.

(…)

Monsieur Patrick trouve géniale l'idée d'intituler le journal : *L'Écho des élèves desperados* ! Il veut que les articles sortent eux aussi des sentiers battus. Il a même suggéré des reportages vidéo intégrés au journal. Cool ! Mathieu m'a dit qu'il allait se trouver une caméra numérique.

Prochaine étape : le recrutement.

C'est exaltant !

(…)

Mathieu m'a demandé de lui remettre les messages que j'ai reçus de la personne qui m'adore. Il sait maintenant où elle s'est branchée pour m'envoyer ses messages de tendresse et de paix. Il s'agit d'un accès Wi-Fi accessible à tous au centre commercial de la ville voisine.

Donc, la personne sait ce qu'elle fait pour qu'on ne puisse pas la retrouver.

Pas grave, je vais chercher un autre moyen.

(…)

Je rends visite à Nath avec Kim, ce soir. J'ai hâte de la revoir !

Allez, on mange !

> **Besoin de rédemption**

Whôaaa. Je viens de vivre deux choses vraiment étranges.

Je vais commencer par celle qui m'a le moins remuée.

Dans la chambre de Nath, il y avait un homme, genre 20 ans, à son chevet. J'ai pensé que c'était un cousin, alors je l'ai salué. Mais Kim est tout de suite sortie de la chambre, comme si elle venait de voir quelque chose qu'elle n'aurait jamais dû voir. Genre, une infirmière qui fait pipi dans les plantes.

J'ai retraité et j'ai retrouvé Kim dans le corridor. Elle semblait vraiment troublée.

- Tu sais qui c'est ? elle a demandé en chuchotant.

- Non. Est-ce que je suis supposée le savoir ?

- C'est le gars qui l'a frappée !

Il m'a fallu quelques instants pour traiter cette nouvelle information.

- Nooon !

- Oui !

- Et comment tu sais que c'est lui ?

- J'ai vu sa photo sur le Net.

- T'es sûre que c'est vraiment lui ?

- Absolument. Mais qu'est-ce qu'il fait là ?

Ce jeune homme irresponsable, je l'ai détesté ces derniers jours au point où j'ai rêvé qu'il subisse le même sort que Nath. D'accord, d'accord, j'ai voulu que ce soit pire. Genre, il se fait frapper par une auto, il est éjecté dans les airs et se frappe la tête sur un lampadaire, puis il rebondit sur des fils électriques, est électrocuté, tombe dans la rue où il est écrasé par un rouleau compresseur et finalement un chevreuil passe par là et lui fait pipi dessus.

Tout ça, pendant qu'il est conscient. 😈

C'est plus simple en pensée (et moins salissant, surtout pour l'urine de chevreuil). Qu'il ait été à moins de cinq mètres de moi, ça m'a fait réaliser que lui aussi était un être humain.

Sur ces entrefaites, la sœur de Nath est arrivée. Elle a vu que nous étions déconcertées et elle nous a fait signe de la suivre dans la pièce réservée aux visiteurs.

- Est-ce que c'est vraiment celui à qui je pense ? a demandé Kim.

La sœur de Nath a fait oui de la tête.

- Il se sent affreusement coupable. Il a demandé à son avocat d'entrer en contact avec ma mère. Il voulait s'excuser.

- S'excuser d'avoir été soûl et d'avoir fait une course sur un boulevard achalandé ? a dit Kim. Il est comme trop tard !

La sœur de Nath a fait signe que oui avec sa tête.

- Tu as raison, il est trop tard.

Kim est revenue à la charge :

- Il est désolé pour Nath ou pour lui ? Parce qu'il s'est fait prendre, qu'il a perdu son permis de conduire et qu'il va devoir payer une amende et peut-être faire de la prison ?

- Maman y a pensé. Elle était aussi du même avis. Mais le gars a l'air sincère. Il est aussi prêt à payer pour tous les traitements dont elle va avoir besoin.

Cela a semblé calmer Kim.

- Vraiment ?

- Ouais. Je lui ai parlé. Il a honte. C'est un gars qui n'a jamais fait de niaiseries, il est excellent à l'école. Il veut devenir avocat, mais parce qu'il va sûrement avoir un casier judiciaire, il ne pourra plus. Ses parents ont aussi parlé à maman et ils ont passé une demi-heure à s'excuser pour leur fils. Ils ont envoyé des fleurs et ils vont payer le psychologue que maman et moi allons voir. Il a paniqué.

- Wow, Kim a dit. Ça ne nous redonne pas Nath, mais ça me redonne confiance en l'être humain.

Bien dit !

Mais ce n'est pas ça qui m'a tant bouleversée. La sœur de Nath nous a remis quelque chose qui m'a fait fondre en larmes. 😢

Je ne peux pas en parler tout de suite parce que Fredouille a besoin de l'ordi.

À l'écoute

Namxox

Publié le 9 novembre à 21 h 32 par Nam

Humeur : Remuée

> Quels étaient ses plans ?

Que le grand cric me croque ! Je ne sais pas ce qui se passe avec mon frère, mais il ne va pas bien. En plus de sa cheville fracturée à 392 endroits, il vient de me dire que son tatouage « s'étend ». Il n'a pas voulu m'en dire plus, mais ce n'est pas bon signe.

Comment un tatouage peut-il s'étendre ?

Je ne suis pas experte en la matière, mais ce n'est évidemment pas normal. D'autant plus qu'il a ajouté que son grain de riz au visage effaré « pleure des larmes de sang ».

Deuh ?!

(…)

Je reviens donc à la sœur de Nath.

Elle a fait le ménage dans la chambre de Nath et elle a trouvé des lettres qui nous étaient adressées.

- J'ai hésité avant de vous les donner. Parce que je ne sais pas trop quoi en penser.

Elle nous a tendu, à Kim et à moi, des enveloppes cachetées. Sur chacune d'elles, il y avait nos noms écrits à la main par Nath.

- Je ne sais pas ce qu'elles contiennent, a dit la sœur de Nath, seulement que ce sont des lettres d'adieu.

Kim et moi, on s'est regardées, genre « WTF ».

J'ai ouvert la mienne. Voici ce que Nath avait écrit :

Salut Nam,

Si tu lis cette lettre, c'est que je suis morte. Je te demande de ne pas me juger. C'est juste que cette vie n'est pas faite pour moi.

Je veux que tu saches que tu es un bonne personne avec un cœur gros comme le monde. Je sais que tu as essayé de m'aider et que tu vas te sentir coupable. Mais RIEN n'est de ta faute, d'accord ? Ma vie est un enfer. Chaque jour est une montagne à gravir. Je n'en peux plus. Même si je fais croire que je ne suis pas malade, j'ai toujours su que mes comportements n'étaient pas normaux. De toute façon, il n'y a jamais rien eu de normal avec moi. LOL

Dis-toi que là où je suis, je suis bien, enfin. Je ne suis pas disparue, je suis juste partie pour un très long voyage.

Garde-moi toujours une place dans ton cœur et je ne mourrai jamais.

Nathalie

Ouf.

Kim a commencé à pleurer, moi aussi. Et la sœur de Nath a suivi. Kim n'a pas voulu me dire ce qu'il y avait dans sa lettre. Je comprends, il n'y a rien de plus personnel.

Personne ne sait ce que ça signifie. Est-ce qu'elle avait l'intention de se suicider ? Quand a-t-elle écrit ces lettres ?

Est-ce qu'elle s'est jetée devant l'automobile du gars ? Les policiers sont persuadés que non, parce que la vidéo montre que Nath n'a rien fait de semblable.

Dans ce cas, ça veut peut-être dire que son accident est une bénédiction. Genre, si l'auto ne l'avait pas heurtée, elle se serait suicidée ? Et que si elle s'en sort (ELLE VA S'EN SORTIR !), elle va réaliser que la vie peut être belle ?

Il y a comme trop de questions et aucune réponse.

La sœur de Nath nous a dit qu'il y avait aussi une lettre pour Jimmy Réglisse noire et têtard gluant. Elle nous a demandé si on le connaissait et si on pouvait la lui remettre. Oui, on le connaît (trop bien), mais on ne va pas lui remettre cette lettre. On ne l'a pas même pas lue. La sœur de Nath a compris, elle l'a déchirée et l'a jetée à la poubelle.

Sauf que je suis tellement trop curieuse.

En partant, j'ai dit à Kim que j'avais échappé mon cellulaire. Je suis retournée en m'assurant que personne n'allait me surprendre et j'ai récupéré la lettre. Une fois dans ma chambre, j'en ai replacé les morceaux.

Je m'attendais à un truc corsé. Genre, qu'elle lui dise ses quatre vérités. Qu'il était un très petit être humain. Mesquin. Stupide. Superficiel.

Pas du tout.

Sur la page blanche, Nathalie n'a écrit qu'un seul mot : SON nom en plein milieu.

Rien d'autre.

C'est probablement plus traumatisant que de recevoir une lettre de bêtises. Parce qu'on peut passer des heures et des heures à essayer de trouver une signification à ça.

Quel message elle voulait lui lancer ? Je n'en ai vraiment aucune idée.

Peut-être qu'elle voulait faire savoir à Jimmy que dans les derniers moments de sa vie elle avait pensé à lui.

Nath, Nath, Nath… Tu es tellement mystérieuse !

Je vais aller me pieuter, toutes ces émotions m'ont complètement vidée.

> C'est trop !

Matou m'a fait un très beau cadeau : une montre. Très belle, elle me va super bien.

Quand je lui ai demandé pour quelle raison il me l'offrait, il m'a juste dit : « Parce que tu existes. »

Ahhh… Je l'aime tellement. J'ai hâte qu'on se retrouve seuls pour passer des heures à s'embrasser. Sa bouche me manque.

(…)

Monsieur M. est venu dans notre classe aujourd'hui. Il voulait savoir qui était responsable de l'incident du cadavre de ballon coincé dans la crevasse de la Mort.

Personne n'a levé la main. Mais les gars étaient pétrifiés.

Voyant que personne ne réagissait, Monsieur M. a lancé un ultimatum : nous avons jusqu'à la fin de la journée pour lui donner le nom du responsable de l'explosion de la bombe qui a fissuré les fondations de l'école.

Bon, d'accord, il s'agit de la machine à pets qui a fait fuir la prof. Monsieur M. veut plutôt savoir qui a installé la bombe.

Le gars n'a comme pas le choix de se dénoncer avant la dernière période. Gabriel a dit qu'il allait le faire.

Je ne sais pas quel sort Monsieur M. lui réserve, mais je ne voudrais pas être à sa place. ☺

(…)

J'ai fait de l'insomnie la nuit dernière. J'ai repensé à Nath et à ce qu'elle m'avait écrit. Ça m'a toute chamboulée. Et ça me chamboule encore.

Il n'y a rien à ajouter.

ELLE VA S'EN SORTIR !

(…)

Les Réglisses rouges, ça va bien ! Des gars et des filles entrent au local et on jase de tout et de rien.

On laisse aller, on n'insiste pas. Quand une personne vient nous voir, on ne saute par sur elle, on ne la menace pas avec une clé (!) pour qu'elle nous confie son terrible secret. Non. On est juste là, disponibles.

Je découvre que plusieurs élèves n'ont personne à qui parler. Ça les soulage de constater que des jeunes de leur âge sont prêts à les écouter. À VRAIMENT les écouter. Pas à attendre de pouvoir émettre un point de vue ou à se mettre en valeur.

Pas : « O.K., t'as des boutons, O.K., tu te fais battre par ton père, O.K., ta mère te force à te laver les dents avec la brosse à récurer les toilettes, O.K., ton frère t'a vendu sur Internet et O.K., ton chien te met des trucs dans le nez quand tu dors, mais moi, Namasté, j'existe et, moi aussi, j'ai des problèmes. »

Kim et moi, on se transforme en de grosses oreilles.

J'espère qu'on aura réussi à faire un peu de bien à ceux et celles qui ont des problèmes.

Kim est vraiment la championne. Elle a une capacité d'écoute extraordinaire. Et elle donne des conseils concrets, elle est empathique, elle ne juge pas.

L'empathie, je ne connaissais pas. Mom m'a expliqué ce que c'est. C'est de comprendre l'autre, de se mettre à sa place. D'avoir de la compassion.

Mom, en tant qu'infirmière, n'a pas le choix d'être empathique. Sinon, elle ne tiendrait pas une semaine !

Quoi ?!

Namxox

Publié le 10 novembre à 17 h 01 par Nam
Humeur : Insultée

> Mon erreur de jeunesse

Je viens d'avoir une retenue ! La première de ma vie ! Honte ! Désespoir ! Et Réglisses noires !

Gabriel était supposé aller se dénoncer au directeur, mais il ne l'a pas fait. Donc, à la fin de la dernière période, Monsieur M. nous a tous donné rendez-vous au local des retenues. Nous avons contesté, mais il n'a pas voulu nous écouter.

Est-ce que 28 élèves doivent être responsables de l'application d'une stupide idée d'un seul têtard gluant ?

Il pensait quoi, Gabriel ? Qu'il allait s'en sortir ? Que Monsieur M. allait être frappé d'une amnésie soudaine ?

Gabriel est vraiment zouf. Vraiment.

Quant à Monsieur M., à quoi il s'attendait ? Que quelqu'un dénonce Gabriel ? C'est nul, ça. Même si c'est une Réglisse noire, ça va à l'encontre des règlements des Réglisses rouges.

Je ne me vois vraiment pas entrer dans le bureau de Monsieur M. et lui dire :

« Tout ça, c'est la faute de la prof, elle n'a pas le sens de l'humour ! »

Sérieux, qu'est-ce qu'on aurait pensé de moi si j'avais dénoncé Gabriel ? J'aurais trouvé ça full poche qu'une personne de la classe agisse comme ça. C'est nul. Entre élèves, on se tient !

Sans compter que pour le reste de sa vie, la personne qui dénonce va vivre avec l'étiquette « traître » collée dans le front. Elle va devoir changer d'école, de pays et de planète, changer son nom et peut-être s'en tirer après une chirurgie plastique.

Je ne suis pas restée longtemps en retenue parce que Gabriel, dès qu'il est entré dans le local, est allé voir Monsieur M. pour se dénoncer.

Monsieur M. nous a tout de suite libérés. Mais il faut quand même composer une rédaction de 200 mots sur le « respect ».

Le problème, c'est que la prof, depuis ce matin, est en congé de maladie. *Burnout*, je pense. Oups !

Là, euh, mettons que c'est un peu moins drôle.

Faut dire que ces derniers temps, elle devait beaucoup gueuler et peu enseigner. Ce doit être pénible de tenter de se faire obéir au lieu d'exercer son métier. Les gars dans la classe sont tellement déchaînés, des fois.

Oui, oui, c'est encore la faute des gars. C'est TOUJOURS leur faute.

> Des complications

La tentative de mon frère de cacher l'horrible tatouage qu'il a sur le ventre a lamentablement échoué. Genre, d'aplomb. Il voulait garder le tout secret jusqu'à ses 18 ans, ça aura duré à peine trois jours. Bravo, Fredouille !

Il n'était pas à l'école aujourd'hui parce qu'il a été malade. Vraiment pas dans son assiette : il a vomi, il faisait de la fièvre et il disait des choses incohérentes. VRAIMENT inquiétant !

Mom est restée avec lui pour le soigner. À un moment donné, elle a vu qu'une partie de son t-shirt était humide. Elle l'a relevé et ROAR, le visage sur le grain de riz est passé à ça de lui arracher le nez avec ses dents de tigre.

Bref, Fred souffre d'une sévère infection causée par son tatouage. Rien de grave, parce qu'il prend à présent des antibiotiques. Mais, selon Mom, il aurait pu en mourir. Le tatouage ne versait plus des « larmes de sang », mais des « larmes de jus jaune et puant ». Ewww !

Il doit avaler maintenant des super grosses pilules roses (des dirigeables !) pendant dix jours, trois fois par jour.

Et quand il ira mieux et que son tatouage cessera de gicler du pus, il aura à donner à Mom quelques explications.

(...)

En me rendant à l'arrêt d'autobus après l'école, j'ai eu un choc. J'ai vu Michaël.

Qui tenait la main de Mylène.

Ils sont de nouveau ensemble.

Ça m'a fait mal.

Je n'avouerai jamais ça à personne, c'est ridicule. Mais que puis-je y faire ? C'est comme ça que je me sens.

Je n'aime pas Michaël, mais je déteste l'idée qu'il soit avec Mylène. Je ne me comprends pas, il n'y a rien de logique là-dedans.

Mylène doit être tellement heureuse de savoir que Michaël m'a laissée, tellement fière qu'il soit retourné avec ELLE après m'avoir larguée.

Arghhh !

Je les ai laissé monter dans l'autobus, préférant attendre le suivant pour ne pas me retrouver avec eux.

J'ai arrêté Kim et j'ai fait semblant d'attacher les lacets de mes chaussures.

- Qu'est-ce que tu fais ? elle m'a demandé. On va rater l'autobus.

- J'attache mes lacets.

- On n'a pas le temps !

J'ai pris une éternité pour faire mes boucles. Comme si je nouais mes lacets avec des mitaines.

- Naaam ! Déniaise !

J'ai fait des calculs mathématiques super complexes dans ma tête. Une fois assurée que même en utilisant un avion supersonique, on n'allait pas arriver à temps à l'arrêt de l'autobus, je me suis relevée.

- Meeerde ! a fait Kim. T'aurais pas pu prendre plus de temps ?

- C'pas grave, il y en a aux dix minutes.

Alors que l'autobus repartait, j'ai scruté les fenêtres et j'ai aperçu Mylène.

Elle m'a vue.

Et elle m'a fait un sourire méchant.

C'est tellement elle qui m'a envoyé des insultes par courriel. C'est tellement elle qui m'a prise en photo sans mon consentement.

Faut juste que je trouve une preuve.

Une seule.

(…)

Je viens de terminer ma rédaction sur le « respect ». Habituellement, j'aime être originale, mais j'ai préféré opter pour la simplicité. Je ne veux pas provoquer Monsieur M. Et c'est quand même grave, un *burnout*.

Je comprends que ce n'est pas le ballon tout flasque coincé entre ses fesses qui a fait péter les plombs à la prof. C'est sûrement l'accumulation de plusieurs événements.

Là, il faut que je fasse signer mon texte par un de mes deux parents.

Lequel ?

Mom va sûrement lire ce que j'ai écrit et me poser des questions.

Pop, si je lui demande de faire deux choses en même temps (genre me parler de ce qu'il regarde à la télévision ET signer), il n'y verra que du feu.

Mais je prends un risque parce que, pour Pop, le respect, c'est fondamental. S'il apprend que j'ai eu une rédaction à faire parce que j'ai manqué de respect à une prof, il va me raser la tête et me forcer à faire des *push-up* dans la boue avec une grenade dégoupillée dans la bouche.

Je vais voir si je peux arriver à le tromper.

(...)

Que le grand cric me croque ! Je ne sais pas ce qui se passe avec Pop, mais il a signé ma rédaction avec un enthousiasme fou.

Il a même ri quand je lui ai raconté ce qui s'était passé. Et il a ajouté que cette histoire allait « rester entre nous ».

Qu'est-ce qui se passe avec lui ? Il est comme trop gentil.

Telle une panthère qui s'apprête à sauter sur un pauvre oisillon sur le point d'extirper un ver dans la terre pour se nourrir, j'ai approché Pop tout doucement. Voyant qu'il était seul devant le téléviseur, sans défense et hypnotisé par la publicité d'une éponge en forme de micro pour se donner l'impression qu'on est une star du rock quand on chante sous la douche, j'ai bondi sur lui :

- Pop, tu pourrais me signer ce truc ?

- Oui, oui, ma chouchoune, sans problème.

Chouchoune ?! Il ne m'a jamais appelée comme ça.

À mon grand désarroi, il a posé la télécommande sur son genou et il a mis ses lunettes de lecture.

- T'es pas obligé de lire, je ne veux pas te déranger pendant que tu regardes ton émission.

Je lui ai tendu mon stylo.

- Mais non, tu ne me déranges jamais. Voyons voir.

- Pas besoin, j'te dis.

Il ne m'a pas écoutée.

- C'est pourquoi ?

Ne pas mentir, ne pas mentir, ne pas mentir.

- C'est, euh, un papier sur, euh, le respect.

- Le respect, bien, bien.

Il a tout lu. Deux fois !

- Qu'est-ce qui s'est passé ?

Je le lui ai raconté. Il s'est esclaffé et a dit :

- Ça devait être drôle.

Il a signé en ajoutant un commentaire : « Bravo, Nam, t'as une belle plume. »

Il n'a pas trop compris que c'était une punition. Pas grave, je n'ai pas insisté.

Il est déstabilisant quand il le veut, Pop. Avant que je sorte du salon, il m'a dit :

- Tu sais que je t'aime, n'est-ce pas ?

- Moi aussi, Papounet. Je t'aime.

Il me semble qu'il n'est pas comme d'habitude. Bizarre.

Je vais aller lire.

Folle !

Namxox

Publié le 11 novembre à 12 h 02 par Nam
Humeur : Foudroyée

> Elle a frappé encore plus fort...

Je suis dans tous mes états, même si j'essaie de ne pas le laisser paraître. J'ai juste le goût de me mettre en boule, le pouce dans la bouche, et de pleurer. ☹

Ce matin, quand j'ai monté dans l'autobus, j'ai senti que quelque chose n'allait pas. Gaston-le-chauffeur-à-l'air-full-bête m'a presque souri. C'était le signe annonciateur de la journée de schnoute que j'allais passer.

Les gens que je connaissais me regardaient d'un drôle d'air. Ils me dévisageaient, en fait.

Puis une des filles de ma classe, Noémie, quand je me suis assise à côté d'elle, m'a demandé c'était quoi « mon rapport ».

- Quel rapport ?

- Fais pas ton innocente.

Je ne comprenais rien.

- C'est pas elle, c'est sûr, a dit une autre camarade de classe assise en face de moi.

- Je ne comprends rien à ce que vous dites.

Noémie a sorti son cell. Et elle m'a montré une page Web qui m'a fait dresser les cheveux sur la tête.

C'est sur Fesses-de-bouc, un site de réseau social. À peu près 90 % des élèves de l'école ont une fiche personnelle, mais pas moi. Mom ne veut pas. Elle dit que c'est dangereux parce que c'est essentiellement une compagnie qui recueille des informations personnelles pour les revendre. Ça ne m'a jamais vraiment trop dérangée : je n'ai pas le temps de gérer une page comme celle-là. Écrire mon blogue me suffit.

Quelqu'un (Mylène, c'est évident) a créé une fiche à mon nom. Avec une photo de moi, la même qu'elle m'a envoyée par courriel il y a quelques jours. Elle a demandé à plusieurs de mes camarades de devenir son amie. Et elle a écrit des trucs vraiment méchants sur leur babillard.

Ça commence par : « Comme je suis une sale menteuse, je profite de la semaine de l'honnêteté pour te dire que », puis il y a plusieurs insultes. J'aurais dit à Noémie qu'elle a « un nez de truie », à une autre fille qu'elle a « tellement de boutons que ma télécommande en est jalouse » et à un gars qu'il a « un p'tit swizzle ». Et il y a plein d'autres méchancetés du genre. Toutes écrites hier soir, tard.

Ce n'est pas tout. « Je » m'attaque aussi à plein de gens que je ne connais pas. Les oncles, les tantes, la grand-mère, le frère et la sœur de mes connaissances. Tous les babillards accessibles ont été salis par des vulgarités.

Évidemment, personne, ou presque, ne s'est dit que ça ne pouvait pas être vraiment moi. Alors c'est la guerre sur mon faux babillard. On me traite de tous les noms. On raconte, entre autres invraisemblances, que j'ai triché en impro et qu'en début d'année scolaire j'ai apporté un « rat géant » à l'école (encore cette histoire, ce n'était pas un rat, c'était un RENARD !).

Je ne sais pas combien de fiches la personne a salies, au moins une tonne.

Je suis persuadée qu'il s'agit de Mylène. Le regard qu'elle m'a lancé dans l'autobus, hier soir, ça voulait dire : « Attends, tu n'as encore rien vu. »

Dès mon arrivée à l'école, je suis allée au bureau de Monsieur M. pour lui raconter tout ça. Il m'a expliqué qu'il ne pouvait rien faire parce que ça se passait à l'extérieur de l'école. Si un élève m'avait menacée, oui, il pourrait agir. Il m'a tout de même dit que j'avais bien fait de le prévenir parce que, dans le cas où un étudiant viendrait se plaindre des prétendues méchancetés que j'aurais écrites, il saurait comment réagir.

J'ai aussi appelé Mom. Je n'ai pas pu m'empêcher de pleurer. J'ai beau être forte, il y a des limites. Les attaques de Mylène sont vraiment efficaces.

C'est du harcèlement, mais à la puissance 1000.

Il faut que je continue à donner l'impression que je suis forte. Sinon, Mylène aura atteint le but qu'elle s'est fixé.

Mais je me demande combien de temps je vais pouvoir tenir. Je n'arrive plus à me concentrer et je n'ai pas faim.

Je sens que je vais craquer. Cette fille est complètement folle. Non, pas folle : cinglée !

Jusqu'où est-elle prête à aller ? Qu'est-ce qu'elle veut ? Quand va-t-elle s'arrêter ?

Je vais aller au local des Réglisses rouges. C'est à mon tour d'avoir besoin de parler.

> Sur les dents

Pendant la première période de l'après-midi, la secrétaire de Monsieur M. m'a fait demander. Le temps que je me rende à son bureau, j'ai inventé au moins cent scénarios-catastrophes où j'allais être accusée d'un crime que je n'avais pas commis.

Monsieur M. m'a appris que des policiers l'ont avisé du harcèlement que je subis et de la plainte que Mom a déposée. Une enquête est officiellement ouverte.

- Ça veut dire quoi, ça ?

Il a pris son coupe-papier et s'est mis à le faire tournoyer dans ses mains.

- Ça veut dire qu'ils considèrent la situation comme suffisamment grave pour que des enquêteurs consacrent du temps sur le cas.

- J'imagine que c'est une bonne nouvelle.

- J'aurais préféré qu'aucune de mes élèves n'ait à subir cela. J'ai reçu quelques plaintes de parents d'élèves, mais je leur ai tout expliqué.

- Merci. J'ai honte.

- Avec cette histoire d'impro, ces messages haineux et cette photo, il est clair que quelqu'un t'en veut. Tu as une idée de qui ça peut venir ?

- Oui, mais je n'ai aucune preuve, je n'ai que des indices.

- Jimmy ?

- Non, pas lui. Je ne pense pas. C'est plutôt une fille. Elle s'appelle Mylène. C'est l'ex de mon ex, mais là, ils ne sont plus ex, ils sont de nouveau ensemble.

- Toujours divertissantes, les histoires d'amour compliquées. C'est une élève de l'école ?

- Non, elle habite dans la ville voisine.

Je lui ai donné le nom et je l'ai décrite.

- Pourquoi elle t'en voudrait ?

- Michaël l'a laissée pour moi. Alors elle ne m'aime pas. C'est vraiment la seule qui pourrait me détester autant.

- Tu pourrais être surprise.

Surprise ?

- Pourquoi dites-vous ça ? Beaucoup de gens me détestent ?

- Non, non. Tu déplaces beaucoup d'air et tu as une forte personnalité. Tu es une cible parfaite pour des personnes qui manquent de confiance en elles. Tu les déranges.

- Euh… C'est un défaut ?

- Non, mais ce n'est pas surprenant. Tu es ce que tu es, tu dois faire avec. Je vais donner un coup de fil à mon ami de l'école secondaire voisine. On se connaît bien. Entre-temps, j'ai parlé à ta mère ; il faudra que tu t'efforces de limiter les dégâts.

- Comment ?

- Pendant les deux heures qui viennent, ma secrétaire va te prêter son ordinateur. Crée-toi une fiche et sur le babillard de chaque personne qui a été insultée, explique qu'on a volé ton identité et excuse-toi.

C'est donc ce que j'ai fait cet après-midi. Mylène a sali plus de 19 babillards virtuels. Dans chacun, j'ai laissé ce message :

Bonjour, mon nom est Namasté (la vraie !). Quelqu'un se fait passer pour moi et répand des méchancetés. Je vous demande d'effacer ses messages et de mentionner aux administrateurs de Fesses-de-bouc que je suis victime d'un vol d'identité. Je suis vraiment désolée de ces inconvénients. Vous pouvez me joindre à...

Ça fait du bien de reprendre le contrôle de la situation. Et je me sens bien entourée.

J'ai juste hâte que tout cela se termine.

Il m'en faut un

Publié le 11 novembre à 20 h 05 par Nam
Humeur : Émotive

> C'est trop elle !

Je suis allée au centre commercial avec Matou, ce soir. Là où un accès sans fil gratuit a permis à Mylène de m'envoyer des insultes.

Je ne m'attendais évidemment pas à voir Mylène assise dans la zone restaurant en train de m'envoyer un message haineux sur un ordi. J'y allais pour une autre raison : j'ai brisé le bracelet de la montre que Matou m'a donnée, je voulais m'en trouver un autre.

Grand-Papi est venu nous reconduire. Quand on pénètre dans le centre commercial par la porte 16 (détail trop inutile !), on trouve un magasin de chaussures. Qui était là en tant que vendeuse ? Mylène !

Elle travaille dans ce centre commercial !

Ce n'est pas encore une preuve, mais c'est un sérieux indice.

Elle ne m'a pas vue. Heureusement, parce que je n'avais pas le goût de la rencontrer.

(…)

Il est fou, ce Matou !

Nous sommes allés dans une bijouterie pour remplacer le bracelet de ma montre qui a été… broyé. Vraiment ! C'est juste à moi que ça arrive ce genre d'affaire débile. J'ai échappé ma montre dans le mélangeur alors que je me préparais un smoothie aux bananes. J'ai attrapé la montre au dernier instant, mais une partie du bracelet a cédé, réduite en charpie par la cruelle lame.

Mom m'a dit de jeter le smoothie, mais j'avais pris la dernière banane et c'est ce que j'avais le goût de manger. En plus, le seul truc sous ma main qui s'approchait un peu de la forme de la banane était le vieux concombre gluant dans un des tiroirs du bas. Il est connu dans la famille parce qu'il crie d'éteindre la lumière quand on ouvre la porte du frigo, ça lui fait « mal aux yeux ». Manger un smoothie à la saveur de concombre, pourri au point que le concombre peut voir et hurler, non merci.

Ce concombre, je crois qu'il est plus vieux que moi. D'accord, pas tant que ça. Mais personne n'ose le toucher, il est tellement extraterrestre. Si je vois un OVNI atterrir dans ma cour, je ne paniquerai pas parce que je saurai que c'est sa famille qui vient le chercher.

J'ai dégusté mon smoothie aux bananes parce que j'étais sûre d'avoir enlevé tous les morceaux de bracelet. Sauf qu'il en restait quelques-uns (des milliers !). Trop tête de cochon, j'ai quand même continué à le bouffer, me persuadant chaque fois que j'en croquais un que c'était le dernier. Bref : pire smoothie à vie.

J'explique pourquoi il est fou, ce Matou. On entre dans la bijouterie, je montre ma montre (ça se dit mal) à la vendeuse et je lui demande un bracelet. Pendant qu'elle cherche, je regarde les bijoux (il me faut absolument un diamant, c'est tellement beauuu) et je tombe sur ma montre. Je regarde le prix et j'en perds presque mes dents.

OMG ! Tellement chère, cette montre ! 400 $! 😮 À... 50 % de rabais !

Est-ce que Mathieu a vraiment dépensé une somme pareille pour me faire un cadeau ? Il travaille un peu, genre 16 heures par semaine à 10 dollars l'heure. Il aurait dépensé plus de deux semaines de travail pour cette montre ?

Faut croire que oui.

Il est fouuu.

En sortant du centre commercial par une autre porte que la 16, j'ai dit à Mathieu :

- Tu sais, tu n'as pas besoin de me donner des cadeaux pour me montrer que tu m'aimes.

- Je sais. J'aime ça te faire plaisir.

- Tu es gentil. Mais si tu fais comme un chat et que tu me rapportes un oiseau mort, je vais t'aimer autant.

- Je sais. Je veux juste te traiter comme tu le mérites.

- D'accord, je comprends. Prochaine fois, je veux un diamant, j'ai dit en riant.

Matou m'a fait un clin d'œil.

Je n'ai pas insisté. Mais je me sens quand même un peu mal à l'aise. Je n'ai pas d'argent pour lui acheter de cadeaux. Bon, c'est sûr que chaque fois qu'il prend conscience à quel point sa blonde est belle, intelligente et géniale, il doit se pincer. Je SUIS un cadeau perpétuel. 😊

(…)

Kim vient d'appeler, elle est à l'hôpital avec Nath. Il faut que j'aille la rejoindre rapidement, c'est urgent !

> Yééé !

Je crois que c'est un des plus beaux jours de ma vie : Nath est sortie du coma et elle a toutes ses facultés ! Elle a reconnu Kim, a reconnu sa sœur et sa mère. Et moi aussi. ☺

Elle n'a aucun souvenir de l'accident. La dernière chose dont elle se souvient, c'est que, lorsqu'elle est descendue de l'autobus, elle cherchait une chanson dans son lecteur numérique. Puis, elle s'est réveillée à l'hôpital et elle avait mal partout.

Weird, quand même. Je me demande où elle était, pendant tout ce temps. Son corps était ici, mais sa conscience ? Bah, ce n'est pas important.

Le médecin lui a fait passer quelques tests ; elle peut bouger tous ses membres, donc elle n'est pas paralysée. Vraiment génial.

C'est clair qu'elle ne va pas participer à une compétition de lancer du marteau demain, que je ne vais pas lui faire la blague de la promener en fauteuil roulant et de la lancer dans les marches pour vérifier ses réflexes, mais comme a dit Mom, c'est « très encourageant ».

Je dois faire un aveu dont je ne suis pas très fière : je ne croyais plus en ses chances de s'en sortir. Je voulais très fort qu'elle reprenne conscience, ça, oui. Mais de jour en jour, je me faisais à l'idée que ça n'allait pas arriver. J'ai fait des recherches sur le Net, et j'ai lu des articles et des commentaires tellement déprimants. Des histoires d'horreur, genre la personne ne peut plus s'alimenter, elle porte des couches, elle fait des crises d'épilepsie et finit par mourir étouffée par sa langue. L'horreur ! 😞

C'est bien la preuve qu'il ne faut jamais abandonner.

Nath restera au moins le prochain mois à l'hôpital. Et elle passera des milliers de tests, sans compter les séances de physiothérapie.

Quelle bonne nouvelle !

En partant, ce soir, Kim a dit à Nath qu'elle l'aimait. Et Nath a répondu qu'elle l'aimait aussi.

C'est tellement chou.

Je vais aller me coucher.

> Trop à faire et pas de volonté

J'ai tellement de devoirs et d'études que je ne sais plus par quoi commencer.

En fait, je n'ai pas le goût. J'ai niaisé pendant une heure sur le Net. Je regarde des vidéos de chiens qui font des trucs ridicules, genre japper comme des malades chaque fois qu'ils entendent le mot « cacahuète » ou qui se regardent dans le miroir et deviennent fous. Et j'aime ça !

Matou travaille aujourd'hui et Kim est à un dîner de famille, au restaurant. Comme si mon destin ne me donnait pas le choix de faire mes devoirs !

S'il pense qu'il va m'avoir... Je ne me laisserai pas faire ! Je vais résister et continuer à paresser ! Je vais me battre avec mon destin.

C'est bien parti, je suis encore en pyjama. Et l'idée d'ouvrir ma commode et de choisir des vêtements me donne des boutons et me rend fiévreuse.

(...)

Cette nuit, parce que je ne n'avais pas sommeil, j'ai travaillé sur mon roman d'horreur. Je ne sais pas trop ce que ça va donner, mais j'aime ça. Je crois avoir une idée assez cool. Vraiment épeurante.

Je préfère les histoires de terreur psychologique où on en voit le moins possible et où l'horreur arrive par petites touches. Les films où un psychopathe torture une fille avec plein de détails, trop bof. Ça me dégoûte. Mais une fois que c'est terminé, je n'y pense plus. Tandis que des thrillers d'horreur bien faits me restent dans la tête et que j'y repense souvent.

Les autres films d'horreur, ceux qui sont ridicules avec des effets spéciaux « spécial ketchup et patates pilées » me font plutôt rire.

Tout ça pour dire que je vais devenir une super écrivaine de romans d'horreur. Oh, oui ! Et c'est ici, sur ce blogue anonyme que personne ne lit, que je l'annonce officiellement !

Bon, au rythme où vont les choses, je vais avoir terminé mon roman à 82 ans… 🙂 Pas ma faute, je suis une fille tellement occupée !

(…)

Ma journée à ne rien faire du tout vient de prendre fin. Je m'en vais garder les jumeaux Max. La dernière fois, ils m'ont refilé des poux. J'espère qu'ils n'en ont plus. Je sais : je vais leur raser la tête de force. Mouahahaha !

Ça ne me tente pas vraiment, mais j'ai des responsabilités parentales maintenant. Je dois faire vivre mon téléphone cellulaire. Je ne voudrais pas que Mom me l'enlève, je suis déjà accro.

Elle ne
m'aime pas

> Pas de poux, mais…

La varicelle ! Les pauvres petits jumeaux Max sont couverts de boutons. Ils font pitié.

Comment ça s'est passé ? Ça a été bien sûr la catastrophe, mais dans la mesure où personne n'a perdu de membres et où il n'y a pas eu d'incendie, je trouve que je m'en suis sortie plutôt bien.

Matou est venu me rejoindre après son travail. Il s'est occupé des gars comme un champion. Il est super à l'aise avec les enfants. Il leur a fait faire de la calligraphie, du yoga et la réplique du Stade olympique de Montréal en bâtons à café.

D'accord, ce n'est pas ça du tout. Ils ont passé tout leur temps à se chamailler. Les jumeaux sont tellement intenses. C'est trop malade, ce n'est pas du sang qui coule dans leurs veines, mais de la lave !

Avant que Mathieu n'arrive, j'avais un peu de misère à les contrôler, mais j'y étais parvenue après les avoir attachés à une ancre de bateau.

J'avais apporté avec moi mes devoirs dans l'espoir (ô combien naïf !) de pouvoir m'en débarrasser. Pendant la demi-seconde où je suis disparue aux toilettes, l'un des jumeaux a pris mon devoir et l'a caché « quelque part ». Au début, je trouvais ça mignon, mais après une heure de

« tu brûles, tu brûles, ah, non, là, tu refroidis ! », j'ai commencé à m'énerver. Ils ont ri de moi. Il m'ont fait chercher dans la cuisinière, dans la chambre des parents (où j'ai fait des découvertes troublantes, je ne peux pas en dire plus !), dans la poubelle de la salle de bains, dans le coffre à outils de leur père (où j'ai fait des découvertes troublantes, je ne peux pas en dire plus !), dans les boîtes de décorations de Noël et dans la litière du chat (où j'ai fait des découvertes troublantes, je ne peux pas en dire plus !). Chat, d'ailleurs, que je n'ai jamais vu.

Je me rends compte qu'il ne faut pas avoir trop de patience avec les jumeaux. Être gentille ne sert à rien. Ils poussent le bouchon jusqu'à ce qu'il explose. La prochaine fois que je les garde, dès le départ, j'agis en maîtresse d'école des années 40, avec une baguette de bois et un air de bœuf. Et s'ils n'écoutent pas, PAF !, un coup de baguette sur les doigts. (Hum, je pense que c'est illégal, je vais plutôt me rabattre sur la pire des tortures : leur retirer leur console portative de jeux vidéo. Ils vont s'en souvenir le jour de leur mort.)

Finalement, après m'être fâchée et avoir mis la tête d'un des jumeaux dans la cuvette des toilettes et tiré la chaîne (je niaise !), Maximilien a affectueusement décidé de me révéler l'endroit où mon devoir était.

L'un des deux (je n'ai pas su lequel parce qu'ils s'accusaient mutuellement) l'a glissé dans la cage de leur perruche Vomi (je me demande bien qui a trouvé ce nom gé-ni-al ?). Qui s'est bien sûr empressée de le déchiqueter avec son bec tranchant.

Et question de l'humilier encore plus, elle l'a utilisé comme papier hygiénique.

Elle me déteste, cette perruche. Je suis SÛRE qu'elle a agi comme ça parce qu'elle savait que c'était Mon devoir.

Les jumeaux la manipulent comme si de rien n'était. Elle leur donne des bisous sur le nez, elle leur grimpe sur la tête, elle leur mordille les oreilles et mange des morceaux de clémentine en chantant.

Moi ? Elle m'a mordu le nez, elle m'a fait caca et/ou pipi et/ou autre chose d'orange fluo sur la tête, elle m'a arraché une oreille, m'a craché au visage le morceau de clémentine que je lui avais donné en sifflant : « J't'haiiiiiiiiiiiiis. »

Je ne peux pas faire mon devoir. Et quand je vais expliquer à mon prof de maths que c'est parce qu'il a été déchiqueté et utilisé comme papier hygiénique par une perruche, ma crédibilité va s'effondrer. (Comme si j'en avais une présentement.) Ce sera la pire excuse qu'il aura entendue au cours de sa vie professionnelle.

Enfin, Mathieu est venu me rejoindre après le boulot. J'espérais qu'il soit en maillot de bain, mais non. Il trouvait que 3 °C, c'était trop froid pour se promener presque nu dans la rue.

Pfft… Il est tellement frileux, ce Matou.

Mon plan était simple : Mathieu devait jouer avec les jumeaux jusqu'à ce qu'ils crèvent de fatigue. Comme ça, à 19 heures, j'aurais pu les coucher et après, Matou et moi on aurait été ensemble et on aurait pu… Oh oui, on aurait pu jouer pendant des heures… au Monopoly !

Mathieu est passé à l'action. Ils ont commencé par se pousser. Ensuite un des jumeaux a pris un oreiller, ce qui a donné une idée à l'autre, puis ils se sont donné des coups jusqu'à ce qu'une des armes déchire et répande ses entrailles partout.

Je n'étais pas contente et j'ai fait des gros yeux à Matou.

- Allez-y plus doucement, d'accord ?

On a passé une demi-heure a ramasser les plumes. Le pauvre Vomi dans sa cage n'arrêtait pas de hurler, croyant sans doute qu'on venait d'assassiner l'un de membres de sa famille.

Puis Maxence a mis fin brutalement au jeu. Ultra méga full excité, il a surgi avec une poêle à crêpes (!) et l'a écrasée sur le nez de Mathieu (!). Je suis restée immobile pendant dix secondes, les yeux grands ouverts. Je n'arrivais pas à croire que Maxence avait fait ça. 😲

Un ruisseau de sang a commencé à couler des narines de Mathieu. Pour faire cesser l'hémorragie, j'ai pris les jumeaux et les ai insérés dans les narines de Mathieu. D'accord, d'accord, j'ai donné un linge à vaisselle à Mathieu.

J'ai pété un peu pas mal les plombs. Parce que Maxence pourchassait son frère avec la poêle pour lui faire subir le même sort. Quand j'ai attrapé le bras de Maxence, il a commencé à beugler que je l'avais « battu » et qu'il allait « appeler la police ». Je me suis sentie mal, alors je l'ai relâché parce que l'image de mon petit cellulaire chéri est apparue dans mon esprit, le cell me suppliant de ne pas le laisser tomber et de respecter l'entente que j'avais prise avec Mom. Bref, j'ai laissé Maxence tapocher son frère avec la poêle. (Mais nooon.)

Jusqu'à ce moment-là, leur varicelle ne causait pas de problème. Mais après s'être excités comme des chiens avec une tranche de bacon, les jumeaux ont commencé à avoir des démangeaisons. Intenses. Au point où ils se sont grattés jusqu'au sang. ☺

Ce que je ne savais pas : suer n'est pas bon quand on a la varicelle. Parce que ça déclenche les démangeaisons. Personne ne m'avait dit ça !

Les deux Max faisaient vraiment pitié. J'ai appelé Mom et elle m'a dit de leur donner un bain d'eau tiède avec du bicarbonate de soude dedans. Je n'en ai pas trouvé, alors j'ai mis du sucre à glacer. Et j'ai dit aux jumeaux que c'était une potion magique pour qu'ils cessent de se gratter.

Et ça a fonctionné !

Leur mère m'avait aussi laissé un liquide rose à mettre sur les boutons. Ça s'appelle quelque chose comme de la « caramilk ». J'ai vérifié et j'étais proche, c'est de la calamine, un mélange d'oxyde de zinc et d'oxyde ferrique qui aide à calmer les démangeaisons. Donc, ni chocolat (ark !), ni caramel, ni recette secrète en cause.

Avec un tampon (pas hygiénique, ce serait vraiment trop weird, je parle d'un tampon à démaquiller), j'ai mis de la calamine sur chaque bouton que j'ai vu. Il y en avait en titi. Ça m'a pris une demi-heure pour chaque jumeau. Ensuite, j'ai eu recours à un traitement apaisant. Le mieux était de les laisser regarder une émission zen pour les mettre dans l'ambiance du dodo (des robots géants qui projettent des lasers et qui se battent constamment contre des monstres qui crachent du feu).

Finalement, l'heure du dodo est arrivée. J'étais vraiment excitée à l'idée de passer du temps avec mon chum, même si j'avais fait le deuil de l'embrasser parce qu'il n'arrivait pas à respirer avec son nez tout congestionné. Juste me coller sur lui, ce serait génial. Sentir son corps contre le mien.

Une fois les jumeaux bordés, je suis revenue dans le salon en gambadant, prête à me jeter dans les bras de mon Matou d'amour.

Sauf qu'il dormait.

Et comme son nez était bouché, il faisait un boucan d'enfer (comme un train qui déraille).

Bref, une soirée complètement chaotique.

Et là, c'est à mon tour d'être crevée.

> ## Quels vers elle a dans le nez ?

Ça m'énerve. Il s'est passé quelque chose pendant le dîner de famille de Kim. Quelque chose qui me concerne, mais elle ne peut pas me dire ce que c'est !

Et pour ajouter au mystère, ce n'est pas quelque chose que j'ai fait et mon nom n'a même pas été mentionné pendant le dîner.

Qu'est-ce que ça peut être ? Kim ne veut même pas me donner un indice.

Je n'en ai aucune idée. Aucune. Elle m'a dit que j'allais bientôt apprendre ce qui se passait.

Schnoute ! Je déteste ça. C'est ma best et elle ne me fait pas confiance. Si elle pense que je vais la lâcher, elle se trompe. Je vais la harceler jusqu'à ce qu'elle me dise ce qui se passe.

Namasté est fâchée !

(…)

Que le grand cric me croque ! Mathieu a le nez cassé ! Après s'être rendu à l'hôpital ce matin, il m'a envoyé par texto une photo de son visage : il a l'air d'un raton laveur. Ses yeux sont noirs et il a un super gros bandage sur le nez.

Il a été battu pas un enfant de cinq ans !

On ne peut pas raconter ça à l'école. Il va faire rire de lui. Faudra inventer une histoire, raconter comment il a dû affronter les membres d'un gang de rue, armés jusqu'aux dents, qui voulaient s'en prendre à moi. Bien entendu, courageusement, il m'a défendue.

Pauvre ti-chou.

La mère des jumeaux était sans connaissance quand elle a vu ce qu'un de ses fils avait fait. Elle s'est excusée un million de fois.

Je commence à penser que je porte malchance. J'ai cassé un verre sur le bras de Michaël, Nath a été frappée par une auto, Fred s'est fracturé la cheville et le tibia, et Mathieu a le nez cassé. Avec les chats noirs, passer sous une échelle et casser un miroir, faudra ajouter « être l'ami de Namasté ».

Je voulais le voir aujourd'hui, mais c'est à mon tour d'avoir un dîner de famille où ma présence est « requise », dixit Mom.

Ça me fait penser, Matou m'a parlé d'une blague vraiment horrible, hier soir. Une femme demande à sa gardienne d'arriver à 19 heures. Elle lui dit que l'enfant est déjà couché, mais en réalité, l'enfant est ailleurs.

À 23 heures, quand la femme revient, elle va dans la chambre du petit, sort quelques instants plus tard, le visage décomposé après avoir découvert que son enfant n'est pas dans son lit. Le deux femmes le cherchent partout et ne le trouvent pas.

OMG ! Je n'ose même pas imaginer comment je réagirais !

Ce n'est pas une blague, c'est un supplice.

(…)

J'ai plein de devoirs et je dois étudier.

Je me plains, c'est tout. Ça fait du bien.

Paraît que si je veux avancer, faut que je me mette au travail.

Beurk.

> Il s'en va, mais va-t-il revenir en vie ?

J'ai appris deux choses : pourquoi Pop était si gentil avec moi et ce que Kim ne voulait pas me dire qui me concernait.

Pop s'en va à la guerre. Pour six mois. Le père de Kim aussi. Ils partent la semaine prochaine.

Et j'ai peur. Peur qu'il se fasse tuer. Peur qu'il revienne avec deux jambes en moins ou traumatisé.

Il nous a expliqué que ce n'était pas vraiment la guerre. Il s'en va plutôt former des gens pour qu'ils deviennent de bons soldats.

Mais quand même. C'est un endroit super dangereux où des membres d'autres clans ne veulent pas voir des étrangers se mêler de ce qui ne les regarde pas. Donc ils se cachent et tirent dessus. Ou ils posent des bombes.

Je ne veux pas que Pop parte, bon.

Je vois bien qu'il se sent coupable de nous laisser ici. Mais c'est son métier, il est obligé d'y aller. Comme il dit, c'est comme s'il était pompier et qu'il refusait d'éteindre un feu parce que c'est trop dangereux.

Pop a été formé pour ça.

Mom veut donner l'impression que ça ne la dérange pas, mais je vois bien qu'elle est troublée. Elle a essayé de me convaincre qu'il n'y avait « pas de danger », mais je n'ai plus six ans, on ne peut plus me faire avaler n'importe quoi.

J'ai mal au cœur.

Je ne sais pas pourquoi il a choisi ce métier, mais c'est stupide. Il n'aurait pas pu être plombier où le pire des accidents qui peut lui arriver est de recevoir du splouche d'égout dans la bouche ? Ou chauffeur d'autobus comme Gaston qui doit porter une moustache pour dissimuler son air bête et repoussant ?

Ça me dépasse.

(…)

Je viens de tchatter avec Kim. Elle aussi est sans connaissance.

On va s'encourager mutuellement. Il n'y a que ça à faire.

Ou se coucher devant la roue de son avion pour qu'il ne s'envole pas.

Je le jure, si Pop meurt à la guerre, je le tue !

Bon, pas tuer. Mais je ne suis vraiment pas contente.

C'est juste nul.

Il m'a dit qu'on allait pouvoir se parler par webcaméra.

1. On n'a jamais rien à se dire, je ne vois pas ce qu'on va pouvoir se raconter et…

2. Même si on ne se dit pas grand-chose, je préfère l'avoir dans la maison. Parce que je l'aime, mon papounet, sa présence me rassure. Quand je n'arrive pas à ouvrir un pot de cornichons, il est toujours là.

(…)

Je ne suis pas contente. Vraiment pas.

Mon frère, lui, parce qu'il prend des antibiotiques et des analgésiques antidouleur, ne se rend compte de rien. Mais il me semble avoir entendu son tatouage protester.

Tintin a fait un discours sur la « démocratie » et « l'importance des sacrifices qu'il faut consentir pour ramener la loi et l'ordre dans les pays en déficit démocratique, et cela, même si du sang d'innocents doit être versé ».

Il m'a vraiment remonté le moral.

Publié le 13 novembre à 18 h 52 par Nam
Humeur : Rassurée

> On sera là l'une pour l'autre.

Kim et moi, on a passé la fin de l'après-midi ensemble. Ça a fait du bien ; il y a longtemps qu'on ne s'était pas retrouvées comme ça.

Je l'aime. Elle est tellement fine. C'est une best formidable.

On a pleuré ensemble pour nos pères. Et ça a fait du bien. On avait l'air de deux folles. On a commencé à s'imaginer des scénarios horribles, genre son père revient avec un bras à la place de la tête et la tête à la place d'une de ses jambes, et le mien est déchiqueté pendant qu'il croque dans un muffin explosif.

NAWAK !

Rien de mieux que de ridiculiser la situation pour la dédramatiser.

Je lui ai parlé de L'ÉDÉD, *L'Écho des élèves desperados*. Je lui ai demandé si elle voulait y participer en tant que présidente du comité étudiant. Elle m'a dit que c'était une super bonne idée, qu'elle cherchait un moyen de rejoindre les élèves.

On a fait nos devoirs. D'accord, on a plus parlé que fait nos devoirs, mais c'est l'intention qui compte, nooon ?

Puis j'ai reçu un texto sur mon cell. Je croyais que c'était Matou, mais non.

Le message : « Menteuse et voleuse. »

Mon amie Mylène ! Je n'ai pas de preuves que c'est elle, je sais, mais mon numéro de téléphone cellulaire, peu de personnes l'ont. Matou, bien sûr, mes parents, Grand-Papi, Kim et… Michaël. Donc, c'est clairement elle, vu qu'ils sont de nouveau ensemble.

Je suis allée sur Fesses-de-bouc et ma fausse moi est toujours là. Sauf que plein de gens ont écrit sur son babillard qu'elle est une voleuse d'identité et l'ont dénoncée aux administrateurs du site Internet.

C'est long avant qu'on désactive la fiche, il faut être patient. J'ai lu dans des forums que ça peut prendre jusqu'à dix jours ! Tous les dommages qui peuvent être faits pendant ce temps-là, c'est fou. Et il y a une foule de gens à qui c'est arrivé. J'ai été surprise, moi qui croyais être la seule dans l'univers à être dépossédée de mon identité.

J'ajoute donc ce texto aux preuves de harcèlement.

J'ai jeté un œil au numéro d'où ça provient, c'est un service anonyme en ligne. Ce serait tellement trop con qu'elle utilise son cellulaire pour m'envoyer des insultes !

J'ai parlé en détail de ce qui se passe avec Mylène. Je sais qu'il ne faut pas provoquer les harceleurs, parce qu'ils se nourrissent de l'attention qu'on leur donne. Et quand on leur répond, on leur donne la preuve qu'ils ont atteint leur but. Monsieur M. me l'a dit, Mom me l'a dit et je l'ai lu sur plein de sites à propos du harcèlement.

Mais Kim m'a apporté un autre point de vue : se sentant provoquée, Mylène va répliquer. Et c'est à ce moment-là qu'elle pourrait bien commettre une erreur. Un faux pas qui nous mènerait directement à elle.

J'y ai pensé quelques minutes et je me suis dit : pourquoi pas ? Je déteste passer pour une molle, une fille qui se laisse faire. Dans cette histoire, je n'ai rien à me reprocher. Je suis du bon bord. Du bord des gentils.

Je me suis branchée au réseau Fesses-de-bouc et j'ai envoyé un message privé à la fausse Namasté : « T'es cuite. On sait qui tu es. »

J'ai reçu une plaisante réponse quelques minutes plus tard : « La ferme, petite impertinente. »

« Petite impertinente » ? C'est presque de la poésie !

J'ai répliqué : « Attends-toi à ce qu'on te mette la main dessus cette semaine. J'espère que tu as de bons avocats. »

Pas de réponse.

On va bien voir ce que ça va donner.

Je dois aller étudier.

Presque
la vérité

Namxox

Publié le 14 novembre à 13 h 21 par Nam
Humeur : Impatiente

> **Faut que ça se règle !**

Je suis à la biblio, dans mon cours de français. J'ai terminé ma rédaction. Monsieur Patrick m'a permis d'aller sur le Net pour faire des « recherches » pour *L'Écho des élèves desperados*.

Écrire dans mon blogue, c'est comme faire de la recherche, non ?

Devant le local des Réglisses rouges, ce midi, on a installé une table pour le recrutement de collaborateurs pour le journal étudiant. Il y a eu plus d'une dizaine d'inscriptions. J'ai même parlé à un gars qui aimerait faire des caricatures. Trop cool !

Monsieur Patrick m'a dit que ça s'annonçait bien. La première édition de L'ÉDÉD pourrait même voir le jour pas plus tard que dans deux semaines ! Ça va vite.

Ça m'allume beaucoup, ce projet. L'idée d'écrire régulièrement va m'obliger à une discipline de fer. Je n'aurai comme pas le choix d'écrire parce qu'il y aura des dates de tombée à respecter. Pas le choix, c'est moi la rédactrice en chef. Faut que je donne le bon exemple.

Toutes les personnes qui sont intéressées sont conviées à une réunion du journal demain, après l'école. La première réunion. Et c'est moi qui dois l'animer. Je ne sais tellement pas quoi dire ! Il va me donner des pistes.

Il est vraiment cool, ce prof. Et beau. Ce sera un vrai plaisir de faire ce journal.

(...)

J'ai eu un accrochage avec Michaël ce matin.

En arrivant à l'école, il m'attendait devant mon casier. Il n'était vraiment pas content.

- C'est quoi, cette histoire de harcèlement avec Mylène ?

Je lui ai fait signe de se tasser 😮 pour que je puisse sortir des trucs de mon casier.

- Je ne sais pas. Demande-lui.

- T'as raconté au directeur qu'elle te harcelait ? Ça n'a vraiment pas rapport.

- Je n'ai rien raconté. Si tu as des questions à lui poser, va le voir.

- Le directeur de l'école de Mylène lui a demandé si c'était elle qui te harcelait. C'est tellement *nowhere*. Qu'est-ce que t'as raconté ?

Évidemment, je ne m'attendais pas à ce que Mylène avoue sur-le-champ que c'était elle qui m'envoyait des messages anonymes.

- Je ne veux pas parler de ça, d'accord ?

- Je ne sais pas c'est quoi ton problème, Nam, mais tu es dérangée. Mylène ne t'a rien fait.

- Je me demande qui, entre elle et moi, est la plus dérangée.

- C'est clairement toi, il m'a dit en partant.

J'aurais aimé que le directeur de l'école de Mylène soit plus subtil. Là, je passe pour une cinglée qui hallucine.

J'espère qu'on va bientôt la coincer. Je n'aime pas trop la tournure des événements. ☹

(...)

Mon pauvre Matou est mal en point ! On dirait qu'il porte un masque noir. Avec son bandage, il ressemble à un boxeur qui a subi la raclée de sa vie.

Aux amis qui lui demandaient ce qui s'était passé, il a dû raconter qu'un petit morveux de cinq ans lui a donné un coup de poêle à crêpes sur le nez. Tout le monde trouve ça très drôle, et personne ne le croit. Toutes sortes de rumeurs se sont mises à circuler. Durant la deuxième période, on chuchotait qu'une personne âgée l'avait frappé avec une marchette. Si ça continue comme ça, à la fin de la journée, on va raconter qu'il a reçu un ballon de volleyball sur le nez pendant qu'il disputait un match sur une plage contre un géant unijambiste.

Il s'en est même trouvé pour dire que c'était moi qui l'avait battu, bien sûr. Ouais ! Je suis FÉROCE !

La cloche vient de sonner, bye !

Publié le 14 novembre à 17 h 02 par Nam
Humeur : Stupéfaite

> J'hallucine !...

Et je capote.

Après l'école, Kim, Matou et moi, on allait vers l'arrêt d'autobus. C'est genre cinq minutes de marche.

Arrivés à l'arrêt, Kim nous a dit :

- Il y a quelqu'un qui nous prend en photo.

- Où ça ? j'ai demandé.

- De l'autre côté de la rue. Derrière le camion bleu.

Effectivement, il y avait quelqu'un avec un appareil photo. Avec un manteau foncé, des gants noirs et une casquette.

- C'est peut-être Mylène, j'ai dit. C'est peut-être une autre photo qu'elle veut m'envoyer pour me faire peur.

- C'est ce qu'on va voir, a dit Mathieu.

Il a regardé des deux côtés avant de traverser la rue. Dès que la personne a constaté que Matou se dirigeait vers elle, elle s'est mise à courir en sens inverse.

Mathieu s'est mis à courir derrière elle.

Kim et moi, on a décidé de les suivre. On les a retrouvés une centaine de mètres plus loin. La personne était allongée sur le trottoir, elle avait trébuché en voulant s'enfuir.

Lorsque j'ai vu qui c'était, mon cœur a cessé de battre.

Je me suis trompée, ce n'était pas Mylène.

Jamais je n'aurais pu imaginer qui c'était !

À suivre dans
Le blogue de Namasté tome 9 :
Vivre et laisser vivre

Namasté à la télé et sur le Web ? Oui !

Septembre 2011

www.lebloguedenamaste.com

Deviens fan de Namasté sur Facebook
pour les toutes dernières nouvelles
de ta série préférée.

facebook

DEVIENS AMIE DU BLOGUE
DE NAMASTÉ
SUR FACEBOOK !

Dans la même série

Autres titres du même auteur

Phobies-Zéro Jeunesse

Maxime Roussy est porte-parole de **PHOBIES-ZÉRO volet jeunesse**. Il s'est donné comme mission, entre autres, de démystifier les troubles d'anxiété chez les jeunes en leur racontant avec humour ses expériences liées à son trouble panique avec agoraphobie.

Tu n'es pas seul. Plusieurs personnes se sentent comme toi. La bonne nouvelle, c'est que nous pouvons t'aider!

Pour savoir par où commencer, visite le
www.phobies-zero.qc.ca/voletjeunesse

ou communique avec nous au :
514 276-3105 / 1 866 922-0002